D1309647

MON PÈRE, LA NUIT

De la même auteure :

Nouvelles

Lettre imaginaire à la femme de mon amant, Montréal, l'Hexagone, 1991.

Essais

Le Nom de la Mère. Mères, filles et écriture dans la littérature québécoise au féminin, Québec, Nota bene, 1999.
Lectures contemporaines de Gabrielle Roy. Bibliographie analytique des études critiques 1978-1997, Montréal, Boréal, 1998.
Contre-voix. Essais de critique au féminin, Québec, Nuit blanche, 1997.
L'Autre Lecture. La critique au féminin et les textes québécois, 2 t. (anthologie préparée et présentée par Lori Saint-Martin), Montréal, XYZ, 1992 et 1994.

Traductions

Le cas d'Emily V., roman de Keith Oatley, traduit de l'anglais par Lori Saint-Martin et Paul Gagné, Montréal, XYZ-Flammarion, 1996 ; Paris, du Félin, 1997 (sous le titre *L'Affaire viennoise*).
Ana historique, roman de Daphne Marlatt, traduit de l'anglais par Lori Saint-Martin et Paul Gagné, Montréal, Remue-ménage, 1992.

LORI SAINT-MARTIN

Mon père, la nuit

nouvelles

L'instant même

Maquette de la couverture : Anne-Marie Guérineau

Illustration de la couverture : Agnès Lefort, *Lise*, 1944
Huile sur panneau de fibre de bois, 66 × 50,8 cm
Collection Musée du Québec
Photographie : Jean-Guy Kérouac

Photocomposition : CompoMagny enr.

Distribution pour le Québec : Diffusion Dimedia
539, boulevard Lebeau
Saint-Laurent (Québec) H4N 1S2

Pour la France : D.E.Q.
30, rue Gay-Lussac
75005 Paris

Tous droits de traduction, de reproduction et d'adaptation réservés
© Les éditions de L'instant même
865, avenue Moncton
Québec (Québec) G1S 2Y4

Dépôt légal — 2ᵉ trimestre 1999

Données de catalogage avant publication (Canada) :

Saint-Martin, Lori

    Mon père, la nuit : nouvelles

    ISBN 2-89502-125-2

    I. Titre.

PS8587.A346M66 1999   C-843'.54   C99-940596-9
PS9587.A346M66 1999
PQ3919.2.S24M66 1999

L'instant même reçoit pour son programme de publication l'aide du Conseil des Arts du Canada et celle de la Société de développement des entreprises culturelles du Québec. Nous reconnaissons l'aide financière du gouvernement du Canada par l'entremise du Programme d'aide au développement de l'industrie de l'édition (PADIÉ) pour nos activités d'édition.

I

Mon père, la nuit

Mon père, la nuit, vient dans ma chambre.

Je n'ai pas pleuré, ne l'ai pas appelé. Il vient quand même. J'ai appris à étouffer le cri qui jaillit du cauchemar et déchire la gorge. Il vient quand même. Lentement, sans bruit, la porte s'ouvre. Une bande de lumière sectionne la chambre, puis l'obscurité revient. Il ne bouge pas, il respire à peine. Pourtant je sais qu'il est là. Le silence n'est plus le même. Parfois il demeure longtemps debout, à côté de mon lit, et je fais semblant de dormir, dans l'espoir qu'il repartira.

Il me regarde. Parfois il murmure des mots que je ne comprends pas. Et puis il s'assoit sur le lit, et il rabat les couvertures. Il dit mon nom tout bas, tu dormais, mon amour ? Là il n'y a plus d'espoir, je sais que ça commence. J'ouvre les yeux sur le noir de la chambre qui peu à peu s'éclaire et dévoile le visage de papa.

Il n'y a pas de mots pour ce qu'il me fait dans la chambre. Voix coupée, je ne pourrai jamais le dire. À moi seule je le dis, pour ne pas me perdre de vue.

* * *

Et ça commence, et ça commence, et on en est toujours aux débuts. La porte s'ouvre et se referme, le temps tourne en rond.

Elle met une heure à s'ouvrir, une vie. Toute ma vie j'ai regardé cette porte s'ouvrir. Mille fois dès la première fois. Je savais qu'il n'y aurait pas de fin.

Il vient sans bruit, et pourtant je l'entends. Je l'entends avant même qu'il ne quitte sa chambre, j'entends ses pensées, papa dans son lit qui se dit : non, je n'irai pas, je n'irai pas. Et sans transition il est debout, je n'irai pas, et ses pas le conduisent vers ma chambre, je n'irai pas, ma pauvre petite fille pardonne-moi, je n'irai pas, ma porte s'ouvre et pour lui aussi ça commence, et ça ne pourra plus jamais s'arrêter. Chaque fois.

*   *   *

Plus jeune, j'avais peur de l'obscurité. Je ne savais pas que, seule, j'étais sauve. Maintenant c'est de la lumière que j'ai peur. Papa à pas de loup, la lumière du passage, la porte qui s'ouvre lentement, un temps infini et puis la main de papa entre mes cuisses.

Maman ne dit rien, ne voit rien. Elle est trop faible pour ouvrir seule la porte de sa chambre. Maman est un souffle à peine, une voix éteinte. Elle a besoin de chaleur et d'une longue paix égale. Pas de porte qui claque, pas de petite fille qui crie. Surtout pas besoin d'un gros chagrin qui la fendrait en deux.

Elle est malade, peut-être mourante, depuis si longtemps qu'elle en a oublié la santé. Je lui ressemble, à maman. Tu as son odeur, ses cheveux. Dans le noir je peux croire que c'est elle.

Au début papa ne me touchait pas. Il soulevait ma robe de nuit, il regardait longtemps, longtemps, après avoir ouvert les stores. La lumière de la rue m'éclairait toute, il me disait : ne bouge pas, laisse-moi te regarder. Il respirait l'odeur de mon cou. Il chuchotait : mon amour. Puis il s'est mis à m'effleurer doucement, toute la peau. Un jour il se mouille un doigt et le passe doucement, lentement entre mes cuisses. C'est mauvais, c'est bon. Non papa, ne me fais pas ça. Il me couvre la bouche de sa main : tais-toi, tu vas tuer ta maman. Un instant, nous nous regardons. Puis il reprend, et je me laisse faire.

* * *

J'ai deux papas, bientôt plus de maman. Mon papa de jour, mon papa de nuit. Celui de jour est souriant, il me beurre mes rôties, m'accompagne au parc. Je me souviens de la balançoire verte d'un petit hôtel de campagne, au bord du fleuve. Papa me pousse, mes jambes font éclater le ciel, je donne des coups de pied au soleil. Papa m'apprend à nager en me tenant par la taille, je n'ai jamais eu à craindre l'eau. Ma chambre de jour est rose et remplie de jouets, j'ai une table à dessiner et une maison de poupées. Ma chambre de nuit se rétrécit : un lit, une porte. Mon corps tout nu, même lorsque je me couvre jusqu'au cou.

Avant, maman était forte et chaude, nous faisions des biscuits au chocolat que nous mangions à peine sortis du four, et elle me laissait étendre la pâte par cuillerées sur la tôle. Nous sortions toutes les couleurs pour faire des peintures géantes, et j'aimais regarder se colorer l'eau dans laquelle nous trempions nos pinceaux. Je préférais toujours la peinture de maman, et elle, la mienne. Nous regardions la télévision ensemble, le soir, en nous chatouillant, les jambes enlacées sous une couverture de mohair mauve. Maintenant les mains de maman sont des feuilles d'automne, cassantes et froides, ses os craquent quand elle se retourne dans son lit. Maman est un cerf-volant qui ne supporte plus le vent. Chaque jour je grandis et elle rapetisse et pâlit. Interdit de m'approcher d'elle, je pourrais la briser en cherchant à l'embrasser. Ma voix surélevée, mon rire, mon pas de course dans l'escalier lui fendaient le crâne. Elle m'a moins aimée, je le sais. Pour elle j'ai appris à chuchoter, à faire glisser mes pieds dans des chaussons de feutre. Je ne cours plus. Je ne fais plus jamais claquer les portes.

Seule lui plaît encore la musique que je fais avec papa. Dans le salon double, devant les longs miroirs, il joue du piano, moi de la flûte. Je regarde ses mains si fines, ses grandes mains de médecin, précises, un peu velues aux jointures. Jamais je ne l'égalerai, elle. C'est pour elle que je joue pourtant. Je l'imagine dans son lit qui fredonne l'air, de sa voix devenue cassante. Lorsqu'elle est à bout de souffle, elle se contente de le laisser danser dans sa tête.

* * *

Autrefois, maman était flûtiste dans un petit orchestre. Papa et moi allions à tous les concerts dans la vieille église, devant les grands vitraux du Christ et de tous les saints. J'aimais l'immensité de la voûte, le bois sculpté, tout en arabesques. Les colonnes étaient en marbre lisse et froid, on voyait le grain mais au toucher on ne sentait rien. Maman portait une robe longue, noire, parfaitement droite, ornée de paillettes noires. La flûte brillait, les cheveux noirs de maman faisaient une auréole autour de son beau visage blanc. Quand elle ne jouait pas, maman se tenait si droite et si immobile qu'elle avait l'air d'une statue. De tout le spectacle papa ne la quittait pas des yeux. Les belles solistes en taffetas bleu nuit, en soie émeraude, papa ne les regardait jamais. Que maman, que maman. Maman chantonnait alors en préparant les repas et papa ne venait jamais, jamais en pleine nuit dans ma chambre. La présence de maman remplissait une pièce à la manière d'un bouquet de fleurs, de la même paix parfumée. Maman était forte, et rieuse, et jamais fatiguée. Avant, on allait patiner tous les trois sur la rivière, j'avais un foulard rouge pareil à celui de maman et on glissait, sans effort, main dans la main. Puis la minceur de maman est devenue maigreur, la toux de maman s'est creusée, et un jour maman s'est couchée pour ne plus se relever. Quel bonheur d'être musicienne, disait-elle : la tête toujours pleine de musique, des sonates, des symphonies entières. Parfois maman écoutait de la musique dans sa tête et on la voyait soulevée, heureuse de l'entendre déferler en elle. Maintenant la musique l'abandonne. Sa tête est une chambre déserte où on n'entend plus que du vent.

*   *   *

Papa m'a acheté une robe rouge très courte et des souliers rouges en cuir verni. Le regard de maman dit que ça me vieillit. Que j'ai mauvais genre. Il m'appelle son petit chaperon rouge. Je me demande s'il est le bûcheron ou bien le loup. Le loup a de grandes dents blanches pour mieux croquer les petites filles. Papa aussi a de grandes dents. Il a de grandes mains de chasseur, pour me défendre du mal.

Maman je brûle, j'ai soif, aide-moi. Maman s'éloigne, maman est déjà sur l'autre rive. Tu ne parles pas comme une petite fille, mon amour. Non maman, je n'en suis plus une. Les nuits me font vieillir. Je n'ai pas l'âge que j'ai. Je suis toi, maintenant, dans mon lit avec papa. Je brûle de tout ce que je ne peux pas te dire.

*   *   *

J'ai dix ans, douze ans, treize. J'ai appris le plaisir, dans ma chambre, avec papa.

Toujours il vient quand les stores sont tirés, quand la porte est fermée. S'il a hésité, c'était avant d'entrer. Sa main sur la poignée ne tremble plus. Je ne dors pas, je l'attends. J'ai peur, j'ai hâte. Doucement, doucement, il m'écarte les jambes. Je ne veux pas, papa, non non, et lentement, très lentement, je lève les hanches vers sa main, sans bruit j'appelle sa main. Arrête papa n'arrête pas, la tête me tourne de ne plus savoir. Il ne faut pas aimer, il ne faut pas me laisser faire. Pourquoi me fais-tu ça, papa ? Tu as tout brouillé dans ma tête. Je ne le dis pas, je ne dis rien du tout. Je me tais, pour maman. Parfois je gémis, tout bas, contre la main de papa. Il me demande de lui dire des choses que je ne comprends pas. Des mots de femme, les mots de maman peut-être. Ma bouche contre son oreille, je chuchote : oui mon amour, encore, encore, j'ai si envie de toi. Ces mots-là me remplissent la bouche et la tête. Je n'ai plus un mot à moi.

* * *

Maman est pareille à la lune, m'a dit papa, elle va et vient, elle s'éclipse. Elle semble guérir, elle rechute. Espoirs déchirés, sans lendemain. Elle habite le point mort juste avant la mort. Quelquefois elle ouvre les yeux et les frotte, avec l'air de revenir de très loin. À croire qu'elle voit encore sa toute petite fille. Elle me chante, tout bas, les chansons d'autrefois, de sa voix brisée. Gentil coquelicot, mesdames, gentil coquelicot nouveau. La branche a, à la volette, la branche a cassé. Mon petit oiseau, t'es-tu bien blessé ?

* * *

Mes mots ont figé dans ma gorge, un sirop, une glu. Ceux des autres sont de la poussière, ils frôlent les choses sans les toucher, ils glissent, ils gardent leurs distances.

À l'école les questions sont si claires que je vois à travers. La réponse est cachée dans la question quand on sait bien écouter, ou du moins, la question ouvre la porte de la réponse. Avant, ma main se levait toute seule, la réponse débordait de mes lèvres, on se penchait sur moi en souriant. Maintenant je regarde la rainure de mon pupitre, tachée d'encre et tout égratignée, et je ne suis ni là, ni ailleurs.

— Trois à la puissance trois, ça fait combien ?

La réponse s'imprime dans ma tête, je la vois, elle est lumineuse et inaccessible. Interdite. Aussi loin que la santé de maman, que mon clair sommeil d'avant. Rien ne bouge en moi. Pas un son. Les voix s'éloignent comme si j'avais la tête sous l'eau.

Sans que je les aie vus partir, les autres ne sont plus là. On se penche sur mon pupitre, on me touche l'épaule. Je peux t'aider, tu sais, si tu as un problème.

Quatre mots suffiraient pour que je ne sois plus seule. Une phrase tout au plus, et une femme brune et ronde entrerait dans ma chambre, dans mon secret. Elle ouvrirait les volets et laverait à grande eau, et le déluge emporterait tout sur son passage. La maison serait vide comme au premier jour. Papa serait puni, papa me serait enlevé, maman ne pourrait pas me garder. Des inconnus viendraient, ma chambre ne serait plus ma chambre. Je serais un cas, un de plus, la petite fille dont le... Mme Lévesque aurait des félicitations de son directeur et une belle histoire à raconter. Je les vois, attablés dans la salle des professeurs, partagés entre l'indignation et un frisson de plaisir inavoué.

Mon histoire est à moi seule, je n'ai rien d'autre. Elle a poussé dans ma gorge comme une plante d'ombre et je ne sais plus respirer sans elle. Je suis mon propre secret, je me garderai.

*   *   *

Je suis un secret emmuré dans le sang, un poing fermé sur le noir. Je sais le vide qu'il y a au cœur de la lumière.

Je grandis mais ma chair fond. Je n'arrive plus à la nourrir. J'ai perdu la faim. La cuillère, la fourchette me pèsent. Ma bouche refuse la nourriture. Je traîne ma chair. Quand je regarde dans le miroir il n'y a rien. Une forme noire sans forme, avec du noir tout autour. Je ne savais pas que le vide était si lourd.

*   *   *

Avant, après : un jour le monde a cassé en deux. Y a-t-il vraiment eu un avant ? J'ai à peine la force de me le rappeler encore.

Une fois – maman était déjà malade et ne jouait plus –, on est retourné à un concert dans la grande église. J'ai bien regardé pour ne jamais oublier. De hautes portes sculptées, des colonnes, du marbre brun en haut, vert en bas, veiné de blanc. Une statue de la Vierge avec son bébé dans les bras, une main levée pour réclamer la parole. Je me raconte que c'est moi dans les bras de maman, blottie dans des draperies de marbre. Devant, tout est blanc et or, des anges à la trompette, le Christ sur sa croix. Chaque note est parfaite et maman est dehors désormais, bannie. Elle pleure sans bruit parce que la musique se poursuit sans elle. La mer est grande parce qu'elle sera encore là quand on aura disparu. La musique est pareille, immense et amère comme des larmes. Papa ne regarde rien, je sais qu'il voit encore maman dans sa robe noire. Une image parfaite, une image d'avant. Quand il revenait de l'hôpital, maman lui jouait une sonate de Corelli ou de Bach et la fatigue s'écoulait peu à peu. Ils dormaient toutes les nuits enlacés et papa ne se réveillait jamais avant le jour. J'étais leur petite fille d'amour et on se tenait par la main tous les trois en marchant dans la rue. Je ne savais pas encore pleurer sans bruit. Je ne savais pas ce que les hommes font aux femmes.

*   *   *

J'avais cherché les mots, au début.
– Maman, il faut que je te dise...
Le visage de maman se chiffonne, un papier qu'on froisse. Qu'est-ce qu'il y a, mon amour ? Sa voix me dit qu'elle ne veut pas savoir. Trop fatiguée déjà. La vieillesse fond sur elle, puis recule. Je peux la faire venir ou la repousser. J'ai ce pouvoir.
Rien, maman, rien. Je raconte des histoires de l'école, des bagatelles, pour la distraire. Elle sourit, et si elle rit, elle se met à tousser de tout son corps, puis elle étouffe.
Tu es ma grande fille, va, tu iras loin sans ta vieille maman. Elle ferme les yeux, de lassitude. Puis elle les ouvre et me dévore du regard. Trop tard, elle nous a presque quittés déjà, malgré l'amour. On peut hurler sans bruit. On peut appeler tout le jour, sans éveiller un seul écho.

*   *   *

Papa pleure, il dit que c'est mal, ce qu'on fait, il dit qu'il ne dort plus, à cause de moi. Il ne me demande jamais de le toucher. Je veux juste te faire plaisir. Le plaisir me mêle, je ne comprends pas. Je ne veux pas, je veux.
Une nuit, papa dit : une fois, mon amour, une fois seulement. Il se touche dans le noir, et puis il se couche sur moi. J'ai mal, j'ai mal. J'avale la douleur par tout mon corps, une noyée qui avale la mer. Après il me caresse la tête, tu es trop petite encore, je sais, dors mon petit cœur, je veille sur toi. Je ne recommencerai plus, promis, plus jamais.

17

De toute la nuit je n'ai pu bouger ni faire le moindre son. Le jour est arrivé peu à peu dans ma chambre. À l'heure habituelle j'ai ramassé toutes mes forces et je me suis levée. Mon papa de jour, tout souriant, m'a reconduite à l'école. Boutonne ta veste, mon amour, on gèle ce matin. Il était lisse et sans fièvre. Moi j'avais appris que le sang brûle.

* * *

Rien ne bouge, rien ne peut bouger. Il n'y a plus de voyages, plus d'invités. Plus de saisons ni de marées. À l'école je suis encore dans la chambre, dans l'emmurement. Maman est suspendue dans l'entre-deux, ni morte ni vive. Vivante, elle ne me sauve pas. Morte, encore moins. Personne ne viendra non plus, il n'y a personne. Le monde : une chambre. Rien ne peut me sauver.

* * *

Il a coupé le lien entre la douleur et le cri, entre la peur et la fuite. Ni mouvement ni voix. Je me laisse faire. J'aime me laisser faire. Pour maman et aussi pour moi. Il faudrait ne pas aimer. Mes jambes s'écartent malgré moi, je me dis : je vais lui demander d'arrêter, mais encore une seconde, juste une seconde, comme ça, sa main qui me caresse, si doucement, et la chaleur qui irradie dans mon corps, et puis, trop tard, je ferais tout pour qu'il continue. Tout aussi pour qu'il arrête. Tu aimes ça, mon amour ? Je réponds que oui, que j'aime ça, et je dis vrai, et la vérité me brûle, je dis que non, je ne dis rien, les mots sont piégés, mes gestes me trahissent.

Images brouillées, toujours les mêmes : la porte qui s'ouvre lentement, la nuit, la main de papa sur ma bouche, mes jambes qui s'écartent maintenant d'elles-mêmes. Le silence et les murmures, et le visage fatigué de maman à qui j'évite cette autre fatigue. Images sans mots. Corps coupé. Je ne dirai jamais rien.

Quatre mots, pas plus : mon père, la nuit.

II

Pleine lune et abricots

Moi quand je serai grand, je veux être voleur. Voleur de banque je veux dire, un vrai, avec un revolver un masque noir des complices en voiture blindée, voleur de train aussi c'est bien, dommage que ça existe plus. En attendant je m'exerce, je pique des tas de choses, avec Mathilde et les autres.

Simone dit qu'on est des délinquants, toute la journée elle a le nez dans de gros livres écrits petit petit, elle dit « un jour je partirai loin d'ici », elle aime pas le quartier les rues sales les cafards, elle voudrait une chambre à elle toute seule dans une grande maison blanche comme celles où m'man fait le ménage. Dans sa tête Simone est enfant unique, y a ni Jacques ni Paolo (moi) ni Mathilde ni Anna ni Jojo, papa est diplomate et maman tient maison. Simone a seize ans et elle parle rien que de l'université, dans sa tête elle est déjà loin.

Piquer c'est voler, nous on vole, on aime ça. M'man ça la rend folle, je vais tous vous perdre les uns après les autres, non m'man on est bons nous, on se fera jamais prendre. Depuis la mort sans assurances de papa m'man est femme de ménage, elle arrive le soir la peau et les ongles tout noirs de la crasse des autres. Quand on pense à m'man qui cire le plancher des riches on a envie de tuer. On vole.

L'enfance est l'âge rêvé, disait Jacques, personne te soupçonne et si jamais on t'attrape, tu es quitte pour la peur le plus souvent. Jacques a fait l'erreur d'avoir dix-huit ans et on nous l'a enlevé, nous on est encore petits, pas de danger.

Jacques m'a tout appris, moi je transmets aux autres (pas à Simone, Simone a pas le temps elle étudie). Je m'ennuie de Jacques tombé aux mains des services correctionnels, moi aussi à l'école je fais plein d'erreurs, douze fois douze font cent trois, un tiers est plus petit qu'un huitième, j'arrive pas à me corriger. J'écoute plus la maîtresse, je pense à Jessie James, le plus célèbre de tous les voleurs avec son frère Frank. Jacques me parlait toujours de Jessie, sa tête mise à prix, son courage, ses beaux yeux bleus. Jacques lui ressemble, sauf que Jessie est jamais allé en prison. Jessie James est une histoire que je me raconte le soir dans mon lit, les yeux fermés.

Jacques parti je suis chef de bande, on travaille en famille, jamais personne d'autre. Jacques s'est fait dénoncer par son associé qui vit encore dans notre rue. Quand on le voit on crache, il a jamais pu nous rattraper. Un traître de la bande de Jessie James lui a tiré une balle dans le dos, Jacques aurait dû se méfier.

Jojo est encore bébé et toujours malade on le laisse à la maison, Anna est limite (sept ans), Mathilde est formidable. À dix ans elle est encore minuscule, elle entre n'importe où, elle court aussi vite que moi même si j'ai douze ans déjà.

Mathilde veut être gymnaste, elle se fait des coiffures de princesse faut la voir. On la suit au gymnase pour l'aider à s'exercer, maintenant on peut lui dire : ton premier envol au saut de cheval était parfait, au deuxième tu as glissé, tes jambes étaient trop écartées à la réception, faut accélérer ta course d'élan. Elle aime surtout la poutre d'équilibre, elle fait semblant d'être trapéziste sans filet et que si elle tombait, crac, la mort, jamais elle tombe.

*   *   *

Pour avoir les mains plus légères, on fait des tours de magie. On tire de notre chapeau des tas de mouchoirs de couleur, on découvre dans l'oreille de Jojo des piécettes brillantes qui le font battre des mains, on transforme toutes les cartes du jeu en dames de cœur. Des lapins, on voudrait bien, l'argent doit servir à plus utile. Une fois on a failli attraper un pigeon dans la cour, on est restés qu'avec quelques plumes dans les mains.

*   *   *

Quand m'man tombe malade elle est pas payée. Quand les dames partent en vacances à la mer m'man est pas payée. M'man est belle et fatiguée, nous on n'est jamais allés à la mer. Laisse-les tes dames qu'on lui dit, casse leur vaisselle de famille, mets-la dans les poches de ton tablier leur argenterie et emporte-la. Vous comprenez rien z'êtes trop petits, elles sont bonnes mes dames, sans elles on serait dans la rue. Dans la rue y a des drogués des prostituées des tueurs, nous on est pauvres mais on pourrait être honnêtes, si vous vouliez. On veut pas, m'man y peut rien. M'man est « dépassée par les événements », on l'a dit l'autre jour à la radio d'un homme politique quelconque, nous on a trouvé que ça collait aussi à m'man.

Regardez Sylvie, dit m'man, Sylvie a réussi. Sylvie notre cousine est caissière dans une banque, toute la journée elle compte l'argent des autres, si elle perd deux sous on le note dans son dossier, après trois erreurs on la renvoie automatique. Elle a pas le droit de mâcher de la gomme ni d'aller nu-jambes l'été, il lui faut des bas de nylon. Elle est venue hier voir nos tours de magie, j'aurais essayé la femme sciée en deux sauf que Mathilde et Anna ont pas voulu.

Nous on veut pas de patron, on travaille pour nous. On a commencé par les magasins, puis on a rayonné. Faut avoir la main plus rapide que l'œil des commerçants, pourtant ils regardent vite quand il s'agit de leur butin. M'man soupire, le prix des céréales des chaussures des médicaments pour Jojo qu'on a pas d'assurance encore une fois m'man se tient la tête à deux mains et elle pleure, nous on file en douce. Pour pas qu'on se méfie de nous on se met chic avant, Jacques m'a piqué une chemise blanche que Mathilde me repasse debout sur une chaise, on se peigne on se lave on est beaux on sourit aux anges. Dans la rue, Anna Mathilde rentrent à toute vitesse dans les jambes d'un monsieur et il me voit même pas. Les portefeuilles vidés on les met dans une boîte aux lettres, on espère que le facteur s'occupe de les rendre. Des fois y a des photos ou des lettres, on aime mieux pas les jeter à la poubelle. On aime les gros à serviette, on imagine que c'est des pédégés peut-être les maris des dames de m'man, on en a les doigts légers légers, y a pas à dire on l'aime notre travail.

Le soir dans mon lit je ferme les yeux et voici les plaines du Kansas, l'été 1873 ou quelque part par là, la chaleur sèche le long sifflement du train dans une courbe et les traverses coupées, on prend aux passagers tremblants et furieux leur argent, leurs bijoux, dans le coffre-fort on trouve de la poussière d'or des pièces d'or des billets de banque, une fortune. Nos chevaux on les a cachés dans un bosquet, notre tête est mise à prix et on sait mon frère Jessie et moi que le shérif et ses hommes mettront jamais la main sur nous, les frères Younger seront abattus mais nous on s'évade tout le temps, mon grand frère Jessie et moi.

* * *

Les maisons, on en a pas encore fait tellement. Monter un coup prend du temps, il faut observer les allées et venues, repérer une entrée. Jacques en faisait à la fin, il disait : t'as pas idée de l'adrénaline quand on entre par effraction, on est pressé et pourtant on voudrait jamais partir. On voit la vie des autres, leur lit défait leur tiroir secret, leurs drogues.

Tiroir de la cuisine, frigo, classeur, tiroir des sous-vêtements, tous les endroits où les gens cachent leurs trésors d'après Jacques. Le frigo c'est bizarre mais on y a déjà trouvé de l'argent. Nous on est spécialisés, rien de trop lourd, rien de voyant : les sous les montres les bagues les baladeurs les répondeurs automatiques les appareils-photo. Un monsieur dans notre rue nous achète tout, aussitôt qu'on rentre. L'argent on le donne à m'man, on le dit à personne mais on en garde aussi pour Simone, pour l'université, on l'aime bien quand même notre Simone.

Jamais on volerait chez des gens comme nous, seulement dans les belles avenues boisées. Là où des femmes comme m'man lavent les carreaux et frottent les planchers avant de repartir en autobus, les pieds enflés dans leurs gros souliers noirs. On traîne une balle, des billes, une corde à danser. Oh les gentils petits enfants, les vieilles dames nous glissent des caramels, on leur sourit à pleines dents, on a des yeux tout le tour de la tête. Souvent on trouve une fenêtre ouverte ou une porte pour les chiens, Mathilde s'y faufile et vient nous ouvrir derrière. À trois on fait vite le tour.

* * *

Jessie avait de petites mains blanches, les yeux bleu ciel, on a dit que nous étions des monstres. Pourtant tuer, nous avons

27

jamais aimé. Notre père était pasteur, on aimait notre vieille maman qui nous faisait des confitures. On a dit qu'il était pas mort qu'on avait tué un autre à sa place. Je l'ai jamais cru, il serait venu me retrouver. Deux contre un ils ont tiré sur Jessie, Bob Ford et son frère Charles, payés par le gouverneur Crittenden, du Missouri. Ils habitaient chez lui et mangeaient son pain, Jessie a enlevé ses pistolets, il leur a tourné le dos une seconde et ils ont tiré, tiré.

* * *

Mathilde une fois elle m'a affolé, on faisait le tour d'une maison et elle avait disparu. On l'a trouvée dans le salon avec un album gros comme elle, des tableaux pleins de couleurs d'un nommé Monet, y avait des rivières bleues des soleils comme on en a jamais vu des cathédrales, Mathilde avait les larmes aux yeux. Tout bas elle a dit : je le veux, et la crise quand je lui ai dit que c'était trop gros et pas utile, elle est folle Mathilde, nous autres on a pas besoin de tableaux même si on les trouve beaux et tout. Mathilde a plus dit un mot, une fois dehors on lui a tiré des rubans bleus de l'oreille pendant dix minutes de suite et elle a même pas eu l'ombre d'un sourire.

* * *

Une fois une voisine de riches a pris Mathilde en train de rôder dans un jardin, elle l'avait coincée contre la clôture, Mathilde on la croyait dépassée par les événements et puis voilà qu'elle déballe une histoire pas possible, elle qui est allergique à tout ce qui a des poils. Tigré avec une bavette blanche, Bollo qu'il s'appelle je le cherche depuis des jours, et des détails sur son âge et ses habitudes, et qu'est-ce que je vais devenir si je le retrouve pas au secours. La voisine sanglotait à la fin, Mathilde s'est éclipsée en douce.

* * *

Pas de chance, la banque est pleine de clients quand on y arrive Mathilde Anna et moi Paolo avec nos masques noirs nos revolvers nos « Haut les mains ». D'abord ça va, une caissière nous remplit vite vite un sac de billets, on trouve qu'elle ressemble à Sylvie. Et puis l'alarme se met à sonner les femmes à crier les hommes à hurler on panique. Je tire sans savoir ce que je fais, dans l'air et puis sur les gens ils tombent l'un après l'autre Mathilde tombe Anna tombe je tire encore et encore jusqu'à ce que plus rien bouge. J'attends que le film se rembobine que les balles rentrent dans le revolver que le sang coule à l'envers, le film se rembobine pas, je commence à pleurer, la lumière de ma chambre s'allume et m'man vient me bercer. Je suis peut-être pas fait pour être un grand voleur après tout, Jessie serait pas content de moi.

* * *

Une autre fois des policiers nous ont regardés d'un drôle d'air, je croyais qu'elle allait encore sortir l'histoire du chat de son sac mais Mathilde c'est une artiste, faut pas lui demander de se répéter. Mathilde lui explique que notre grand-mère habite là, qu'on a la permission de jouer dans la cour pendant qu'elle est partie en Alaska (en Alaska ! le policier bronche pas tant Mathilde est tout miel), et tranquillement elle se met à lancer sa balle en l'air et à l'attraper en chantant une comptine qu'elle invente sur le coup. Ça commence par « Pleine lune et abricots » et ça finit par « Les petites filles vont à la mer. » Anna sort ses billes, moi je cours en rond et je fais « vroom, vroom », pas vraiment de mon âge mais j'étais un peu dépassé par les événements à mon tour, les policiers sont partis en nous faisant de grands signes de la main. Maintenant Mathilde dit qu'elle est trop vieille déjà pour devenir une grande gymnaste, à la place elle écrira des romans pas possibles avec des enfants détectives, en attendant elle nous raconte des histoires de pleine lune, de grands-mères et de chats imaginaires.

* * *

Notre cousine Sylvie s'est fait renvoyer de la banque à cause qu'elle s'est trop souvent trompée, elle pleure. On lui dit qu'elle sera mieux comme ça, plus libre, elle dit : les enfants vous savez pas grand-chose de la vie. Puis Mathilde nous raconte l'histoire d'un couple de trapézistes que des jaloux voulaient tuer et la soirée finit bien après tout.

* * *

Encore la banque la voûte les clients paniqués, encore ma main qui tremble sur la détente, qui hésite, qui tire. Cette fois ça ira, j'ai bien préparé mon coup. Fini de tenir la mort dans la main droite, toutes les caissières risquent un jour de ressembler à Sylvie. Je tire quand même, aussi vite que je peux : dans mon canon j'ai pas de balles j'ai pas la mort, je tire et il sort des cascades de rubans bleus et blancs, des pièces d'or, des lunes toutes rondes et des lapins aux yeux roses qui se mettent tout de suite à danser.

Coite sous la couette

Alors moi je me suis dit : si c'est comme ça, je fais la grève. Je l'ai dit à part moi, bien sûr. Je suis toujours à part, moi. Normal, je suis toute seule d'enfant dans la maison. Sauf Suzie qui était un accident, mais elle ne compte pas encore. Elle reste bien tranquille dans son berceau et elle fait des mouvements de nage avec les bras. Pour ce que ça lui donne. Tu n'es plus un petit poisson dans les eaux du ventre de maman, va. Elle fait la sourde oreille et mine de rien. À mon avis elle garde espoir. Le temps qu'elle perde quelques illusions, on sera bientôt deux à faire la grève.

À part Suzie et moi il y a les adultes : papa, maman et la mère de maman, qui s'appelle grand-maman. Il y a aussi le chat Sémiotique, c'est papa qui l'a nommé. Maman a dit « on voit que monsieur a des lettres », je n'ai rien compris. Sémiotique a dix lettres, « monsieur » en a huit. Son nom est beau mais ça ne m'empêchait pas de lui tirer la queue il y a très long-temps quand j'étais petite. Grand-maman est la plus vieille du monde et toute flapie, elle dit que la vie est longue, si longue qu'à la fin on a la tête pleine de nuages, et ce matin et il y a cinquante ans s'emmêlent. Moi je n'oublie jamais rien. D'ailleurs tout est dans mes cahiers. Quand je serai vieille je les relirai et les souvenirs couleront à flots comme le champagne auquel je goûterai un jour. Papa m'en a laissé sentir une fois – pschttt ! – et les bulles m'ont chatouillé le nez.

Au journal de papa, ils l'ont faite, la grève. La grève c'est des discours et des colères et puis des pancartes et pas d'argent. Toute la journée devant la boîte, l'hiver surtout c'est terrible. Papa est journaliste au journal du milieu. Le journal de la queue cherche à rattraper celui du milieu, qui veut rattraper celui qui est en tête, et celui-là veut rester en tête. Alors tout le monde court et tout le monde est inquiet. Ça s'appelle le libre jeu de la concurrence et c'est le meilleur régime du monde. Garde ça pour la page éditoriale, dit maman quand papa s'emballe. Moi j'aime bien les explications de papa, surtout quand il m'oublie et parle en lui-même. Ça ne fait rien de ne pas comprendre tout de suite : on y réfléchit, on note tout, et plus tard, un jour, on relit et on voit qu'on a compris. Dans notre tête ça travaille tout le temps. Notre cerveau grandit et pousse, on dirait une graine dans de la belle tourbe noire, et les idées sont l'engrais. Avec maman cette année on a planté des tomates et des laitues et des impatiences. Ta fleur, dit maman. Elle se trouve très drôle. J'ai dit : oui, les impatiences ça pousse très vite, rien qu'avec du soleil et de l'eau, et bientôt je serai grande et je partirai loin et je serai une grande chanteuse d'opéra qui écrit aussi des romans et je ne reviendrai que pour les vacances de Noël. Je lui en ai bouché un coin, à maman, et à moi aussi. Surtout pour le coup de l'opéra que j'ai inventé sous le coup de l'émotion comme on dit dans les livres. Parfois les mots vont plus vite que les idées et alors on découvre des choses qu'on savait sans savoir ou qui n'existaient pas avant d'être nommées. Papa écoute toujours des opéras en fumant la pipe, le dimanche après-midi, les yeux fermés pour mieux voir la scène qu'il dit. Quelquefois j'accompagne maman à la piscine mais en général je préfère l'opéra. Les histoires sont tristes et compliquées et italiennes le plus souvent. J'écoute un moment assise sur les genoux de papa et puis après, de plus loin, en lisant dans ma chambre. Certaines choses sont plus belles comme ça, de loin. La voix de Maria Callas ou d'Elisabeth Schwarzkopf remplit la maison, on dirait du lait dans une casserole sur le point de déborder. Grand-maman se bouche les oreilles et Sémiotique se cache dans la garde-robe de sa chambre. Ce chat a du goût, dit grand-maman. Ils miaulent à qui mieux mieux : maudit opéra. Suzie fait dodo, un bébé ça ne voit pas grand-chose dans la vie.

À bien y penser notre cerveau est aussi comme une chambre : plus il est grand, plus on peut y ranger de choses. Sauf qu'il faut savoir où on les a laissées. La chambre du cerveau de grand-maman doit être un grand débarras plein d'araignées et tout à l'envers. Un peu comme mon tiroir à chaussettes où je garde aussi mes billes et mes caramels et les beaux galets que j'ai ramassés à la plage l'année dernière parce que les voyages forment la jeunesse. Sauf que dans mon tiroir il n'y a pas d'araignées (une chance). Ni de nuages à bien y penser. Donc ma comparaison n'est pas complètement bonne, même si elle est un peu bonne. Cinq et demi sur dix, peut-être. Je peux faire mieux. Cherchons.

Je me demande s'il y a une limite au nombre de comparaisons qu'une chose peut avoir. Est-ce que le cerveau peut être à la fois une graine et une chambre et peut-être aussi une étoile qui brûle et brille au milieu de la Voie lactée ? Ou est-ce qu'il faut choisir ? Moi je voudrais ne jamais avoir à choisir.

*   *   *

Je fais la grève, que j'ai dit à maman. Il faut travailler pour la faire, ma chérie, les enfants ça ne travaille pas. Elle pense bien m'avoir coincée. Je prends le temps de réfléchir un peu. Et puis pourquoi les enfants ne feraient pas la grève ? Il y a bien la grève de la faim. La faim ça ne travaille pas quand même ? Maman soupire. Raisonneuse, va. Toutes les belles choses, les grandes personnes se les réservent. La douceur de la nuit, tard (moi je suis parquée au lit dès huit heures, même en plein été), le champagne (à part les bulles), le droit de tenir la télécommande et maintenant celui de raisonner. Quand tu seras grande tu auras bien le temps, va. Hypocrites. Quand je serai grande ils ne seront plus là mais entre-temps les belles choses, hein, pas de danger, on se les garde. Et puis il y a la fête des Mères la fête des Pères il faut leur écrire des poèmes (et quand m'en écrivent-ils des poèmes, eux, jamais) et jamais la fête des Enfants. C'est tous les jours la fête des Enfants, dit maman, ah très drôle, alors qu'il y a le gruau la chambre à ranger les devoirs et les épinards. Me prends-tu pour une cruche, maman ? Enfin nul n'est prophète chez soi. Pas chez moi en tout cas.

Moi je fais la grève de la sagesse. J'en ai assez d'être sage et bien peignée et de ne pas me salir chérie. À la boucherie, la pâtisserie, maman prend une voix sucrée que je ne reconnais pas. Bonjour madame, merci madame, un kilo s'il vous plaît madame. Dis bonjour à la dame, dis merci à la dame. Ah ! la belle petite poupée ! Très drôle, maman. La dame peut toujours courir, et toi aussi. Je fais la grève de la politesse en plus. Qui fait la grève fait la gueule. Une vraie peste, cette enfant. Merci madame, merci. Les chiens aboient, la caravane passe. Je voudrais à la fois aboyer et passer. Être les chiens, la caravane, et celui qui a inventé le proverbe dans la nuit des temps.

J'en ai assez aussi de l'école où je vais depuis un siècle déjà, misère. Ils m'ont envoyée là un ruban dans les cheveux (moi) et la larme à l'œil (eux) : tu vas apprendre à lire et à écrire.

Depuis le temps que je savais tous mes petits livres par cœur, j'avais hâte. Presque pas dormi, la veille. Le matin j'ai regardé le journal où je ne comprenais que les images, en me disant : demain. Je suis partie en courant, je pense que maman était un peu vexée à cause de la larme à l'œil que je n'avais pas pour aller avec la leur. Eh bien j'ai couru pour rien, on a passé la journée à dire nos noms (j'étais la seule Annie), à chanter et à dormir la tête sur une serviette qu'on avait apportée de la maison (je m'étais bien demandé comment une serviette allait m'aider à lire). La mienne était rose, je n'ai pas fermé l'œil. Il y avait déjà un siècle que je ne dormais plus le jour. En plus j'ai perdu le ruban qui était rose aussi mais plus foncé. Dire qu'on va là pour apprendre ! En rentrant j'ai fait la colère de ma vie et tout le monde a ri en disant que Rome ne s'est pas bâtie en un jour et que bref j'étais une mignonne qui n'avait rien compris. Les parents ajoutent toujours l'insulte à l'injure et en plus ils font le jeu de l'école. L'école c'est comme les patrons de papa, tous des menteurs et il faut être vigilant tout le temps sans quoi on se fait avoir. Et même si on est vigilant on se fait avoir mais au moins on le sait et on peut faire la grève comme moi contre ma patronne l'école.

L'école j'ai bien aimé un moment, après la mauvaise surprise du début (ils ont fini par renoncer à nous faire dormir), mais maintenant je sais tout. Je sais lire et écrire et ce que font cinq fois sept et les noms des étoiles et des dinosaures. J'ai neuf ans et j'ai lu tous les livres à la maison. Je ne les ai pas tous compris, mais ceux-là je les recommencerai. Avec le dictionnaire on est toujours en bonne compagnie.

Donc plus d'école.

Aidez-vous et le ciel vous aidera. Jamais mieux servie que par moi, je confectionne un mot et le porte à la maîtresse. « Annie a neuf ans, elle n'a plus besoin de l'école. Nous nous occuperons d'elle à la maison. Sincèrement, sa mère. » Et je signe comme maman, un gros gribouillis.

* * *

Maman a son collier de perles, papa sa grève perlée. Il y a aussi l'orge perlé qu'on met dans la soupe. Pas de lien entre toutes ces choses, sinon les mots. Pourtant j'en cherche, des liens. J'aime que tout soit lié comme les mailles d'un tricot de grand-maman : endroit, envers, une série de tout petits points et puis – hop ! – un motif.

Un jour je lis : les amoureux se promènent le long de la grève. Quoi ? La grève paraît-il c'est aussi la plage. Ho. Comment est-ce possible, des sens si différents, pour un même mot ? Il faudrait plus de mots, sinon on n'arrivera pas à se comprendre. Pourtant on se comprend en général. Ou si on ne se comprend pas, ce n'est pas la faute des mots. Plutôt la faute de ce qui se cache sous les mots, comme maman quand elle dit que papa ne l'écoute pas et que papa dit « Quoi ? » et que maman dit « très drôle » mais elle ne rit pas du tout. Les mots peuvent être à côté des choses comme les dents de grand-maman dans un verre sur sa table de chevet qui sourient toutes seules dans la nuit. Quand ils sont à côté on n'est pas dans le même bateau et alors, misère.

* * *

Il y a deux sortes de parents : ceux qui disent non quand ils veulent dire non et ceux qui disent oui. Mes parents disent oui oui ma chérie, ils se voient cools et permissifs et pas vieux surtout et pas piqués des vers, puis ils attendent que j'oublie. Je n'oublie pas et ils crient au scandale. Jamais vu un tel front, une telle tête de mule. Tu lui as dit oui, toi ? Sûrement pas, et toi ? Et moi je dis : oui papa, jeudi dernier vers six heures et demie, juste avant que ton patron t'appelle sur le cellulaire, je l'ai écrit ici dans mon cahier (je le montre mais ils ne veulent jamais lire) et le plus souvent on m'envoie au lit pour mes peines.

*   *   *

Lorsque je serai grande je ne ferai qu'écrire. Je vivrai dans une tour comme le phare qu'on a vu à la plage, entourée de tous les dictionnaires du monde, et je ferai des phrases. Je les écrirai en lettres rouges sur des banderoles et on viendra les prendre pour les lire à haute voix sur la place, sous les fenêtres de ma tour. On se rassemblera pour écouter mes mots. J'aurai dit ce que tout le monde pense, sans le savoir, et des choses que moi seule pense, mais qui sont vraies, et qu'ils reconnaîtront en les entendant. J'écrirai des choses si claires que tout le monde sera intelligent et content et donc il n'y aura pas la guerre qui vient quand les gens ne se comprennent pas dit maman. Et alors on me donnera des gerbes de fleurs à moi aussi et pas la peine d'être chanteuse d'opéra, de toute façon je ne suis pas assez grosse et si on veut on peut aussi porter des robes de satin quand on écrit dans une tour et tant qu'à ça on peut y chanter aussi.

Entre-temps, j'ai mon petit cahier rose qui m'accompagne partout. J'en suis au sixième. Au début j'écrivais si gros que je les remplissais le temps de le dire. Maintenant ils durent longtemps : même si j'ai des millions d'idées j'écris tout petit pour pouvoir en regarder plein en même temps. J'écris les nouveaux mots, puis je les recombine pour qu'ils soient bien à moi. Je lis le tout à ma vieille poupée, Caroline Bedaine. Avant, elle était plus grande que moi mais je l'ai dépassée assez vite. Elle est toujours frisée même si Suzie a fait pipi sur ses cheveux un jour après le bain. Je lis mes mots aussi à Suzie quand elle veut bien tenir en place sauf qu'elle commence à marcher alors elle n'a plus le temps beaucoup. Marcher c'est le travail des bébés et Suzie ne fait jamais la grève.

Aujourd'hui je commence par une phrase drôle qui m'est venue comme ça (ni maman ni papa n'ont pu m'expliquer d'où viennent les phrases) : elle se tient coite sous la couette. D'où coin-coin des canards (Suzie rit), carcan et encan. Hong Kong. King Kong. Ping Pong. Les mots ricochent, rebondissent, volent comme des ballons rouges que je lâcherais par poignées contre le bleu du ciel.

* * *

Mais alors ce qui est vraiment très drôle : écrire une chose qui n'est pas vraie, mais dès qu'on l'écrit elle est vraie. En plein juillet, avec Suzie à côté qui fait le poisson dans sa petite piscine à défaut du ventre de maman, j'écris : il y a de la neige sur la corde à linge, de la neige dans mes bottes. Les branches sont blanches d'un côté et noires de l'autre. Mon bonhomme de neige me demande un foulard. Je me mets à grelotter et je dis à grand-maman que je voudrais du chocolat chaud et grand-maman m'embrasse le front pour voir si je fais de la fièvre et je n'en fais pas et grand-maman secoue la tête en marmonnant que cette enfant me tuera et si ce n'est pas pitié à mon âge.

* * *

Les phrases c'est bien beau, mais ça ne vaut pas un livre. À peine commencées elles finissent, on ne peut pas s'y perdre. Un livre est un océan, une phrase juste une flaque d'eau.

Maman est là ce matin et on lit ensemble sur le balcon sauf que moi je ne lis plus, j'ai une question : comment écrire une histoire où les gens pourront se perdre ? Tu ne peux jamais me demander pourquoi le ciel est bleu ? soupire maman. Pose-moi, juste une fois, une question qui serait de ton âge. Écrire fait vieillir, à en croire maman. Plus encore que la vie en général dont se plaint grand-maman.

J'aime voir le beau front plissé de maman qui cherche des réponses à mes questions d'écriture. Pourquoi tu n'écris pas tes mémoires, dit-elle enfin, tous les écrivains font leurs mémoires. Leurs souvenirs si tu veux, toutes les choses qui leur sont arrivées. Ho. Je pensais que pour écrire on devait jouer avec les mots et les combinaisons nouvelles. Ou noter ses pensées sur la vie. Trouver des choses en tout cas qui n'existent pas encore, tirer quelque chose de rien comme un lapin d'une manche. Maman dit qu'on peut aussi écrire les choses qui nous sont arrivées. Quel intérêt, puisqu'on les connaît déjà ? Enfin, essayons. Si on écrit les choses de sa propre vie, on écrit une autobiographie, dit maman. Après j'écrirai la vie de Caroline Bedaine, et ce sera une autrebiographie.

* * *

Donc moi : je suis née en colère. Hurlant, me débattant. Toutes griffes dehors, les cheveux crépitant d'électricité, l'air de Sémiotique quand il voit un écureuil. J'ai hurlé des dix-douze heures par jour, les premiers mois. Pour tout, pour rien, pour le pur plaisir du cri sciant l'air.

Pas le temps de manger ni de dormir, j'étais tout à ma rage. Une couronne de cheveux noirs en broussaille – à sept semaines maman m'amène chez sa coiffeuse, dont la main tremble et sent la cigarette –, toujours le cri aux lèvres et la furie au cœur.

Je suis née en colère, puis je suis devenue sage. Mes poumons n'ont pas tenu le coup, mes cheveux ont blondi. Je suis devenue douce, et pâle, et calme. Miracle obtenu au prix d'un dressage en règle. Ils m'ont sevrée, rendue propre, envoyée à l'école. J'aurais dû être deux, jumelle j'aurais tenu bon. Toute seule c'était trop dur. Mes forces passaient à pousser grand comme un arbre. J'ai encaissé tous les coups, ils m'avaient eue. Ah ! la belle petite fille, ah ! la jolie poupée, on y prend goût un moment, quelle honte. Sourires, mines, regards par en dessous les longs cils, l'horreur. On a plus de bonbons si on est jolie et qu'on fait des mines mais entre nous, quelle corvée. À la fin ils goûtent la honte bien plus que la menthe, maintenant je m'en passe. Ou encore grand-maman m'en refile en cachette, ni vu ni connu et pas besoin de faire des histoires. Ils goûtent un peu la poussière de fond de poche mais seulement à l'extérieur, le cœur reste bon et frais.

Donc bébé je hurlais, je faisais des vocalises, tout pour rester en forme. Je ne voulais pas qu'ils me croient abattue. Ils m'avaient déjà nourrie, changée, cajolée et bordée. Pour eux je n'étais plus bonne qu'à dormir. Qu'à cela ne tienne, pas sommeil ce soir. Vous n'avez pas enfanté une machine à dormir, vous saurez. Ouvrez les bras, occupez-vous un peu de moi. Venez compter mes orteils, vous aimez ça d'habitude.

Ma mère est entrée dans la chambre en se tenant la tête à deux mains. Tout à mes vocalises, je n'ai pas compris qu'elle était différente. Elle a dit d'une voix éteinte : il faut que je dorme. Si tu n'arrêtes pas je t'assomme. J'ai fait la sourde qui n'est pas muette. Puis ma mère m'a giflée, deux fois, très vite et très fort.

Maman ! Nous nous sommes regardées, les yeux ronds, complètement soufflées. Du coup, plus un son. Elle me fixe, les mains sur la bouche. La terreur. Une mère et un bébé se regardent dans les yeux. Sonnées. J'ai compris qui était la plus forte, et j'ai baissé les yeux. Papa est venu en courant et maman s'est laissée tomber à terre et elle a dit : pourtant je l'avais avertie, et elle se donnait des coups sur le front avec les poings et j'ai tendu les bras pour montrer que je lui pardonnais et c'est là que j'ai fait mon premier sourire que maman n'a pas vu même s'il était pour elle.

Après, grand-maman est venue habiter avec nous, me tricoter des chandails avec des lapins et des carottes dessus et raconter ses histoires de nuages, et maman est retournée au travail pour se changer les idées noires qui faisaient bzzz bzzz dans sa tête. Elle est orthophoniste, trois jours par semaine, dans une école. Bien parler c'est se respecter et maman est belle quand elle se penche sur les enfants qui bégaient ou zozotent ou zézaient ou se taisent en pleurant. Maman doit écouter leur silence et le transformer, avec eux, en mots. Je ne sais pas pourquoi elle n'a pas de succès avec Suzie qui ne dit que « vaaa, vaaa, lllaaa, da da da da da ». Elle est bête, elle est bébête, elle est analphabête.

Mon premier mot à moi : non. Oh le beau mot rond, roulé en boule sur lui-même, un bijou, un coquillage. Je le savoure comme un bonbon, je passe mes journées à le sucer. Jamais il ne perd sa saveur. Plus tard, sur la plage, je ramasserai des galets qui ressemblent à un non. Ils ont l'air que je voudrais avoir, moi aussi. Un immense « non » qui ne dit oui que tout bas, pour lui-même.

*   *   *

La colère la plus grande est venue quand maman m'a dit que j'allais avoir une petite sœur. Comment ça, maman ? D'où elle va venir ? Maman m'explique que les bébés ça pousse dans le ventre des mamans comme une plante dans la terre. On m'avait déjà dit ça avec même un livre pour le prouver mais je n'en croyais rien. Tu parles. Pourquoi pas dans le ventre de papa qui est trois fois plus gros ? Les adultes nous prennent pour des valises. Je m'en fiche d'avoir une sœur, je m'en bats l'œil comme on dit aussi dans le dictionnaire, mais j'ai horreur qu'on me raconte des histoires. Le ventre ça sert à manger. Comment maman va faire pour ne pas manger le bébé ? Maman dit qu'elle a comme un autre ventre, à côté. Oh là là. Et puis pourquoi vous voulez une autre fille, je suis là, moi ? Maman a regardé papa l'air un peu gênée et il a dit « oui, les accidents » à voix basse mais j'ai entendu quand même parce que je n'ai pas l'oreille d'une sourde. Ils m'ont montré la photo de la petite fille dans le ventre de maman qu'ils ont dit sauf qu'on aurait cru la lune un jour où elle est très fripée avec beaucoup de cratères. Je plains la petite fille qui va avoir l'air de ça.

En tout cas moi je n'ai pas poussé là, je m'en souviendrais. D'où tu viens donc ? demande maman en riant. Tiens, je n'y avais pas pensé. Je suis sûrement tombée d'un avion de bébés, en parachute – un beau mot, ça, parachute –, et on m'a trouvée dans le jardin, à côté de la piscine (pas dedans – une chance).

Puis avec les jours le ventre de maman se remplit, ses seins se remplissent, tout ça pour l'autre, rien pour moi. Son nombril qu'on ne voyait pas avant est tout ressorti. Donc ils ont dit vrai. Drôle d'idée quand même que les bébés poussent là, dans l'eau et le noir, sans tambour ni trompettes. J'aime mieux l'avion ou même ils pourraient venir par la poste si les parents n'étaient pas pressés ou par le modem du journal de papa qui est beaucoup plus rapide. Et pour la photo c'est vrai que quand Suzie est née elle était toute fripée comme la lune avec en plus le visage tout rouge qu'elle n'avait pas sur la photo qui était en noir et blanc.

* * *

Une bonne idée, les mémoires, j'ai écrit toute la journée et je me suis souvenue beaucoup beaucoup. Écrire ça fait revenir les choses comme l'écho de notre voix qui rebondit vers nous dans les montagnes. En même temps je ne sais pas si tout est vrai ou si les mots en venant ne changent pas ce qui est arrivé. Les mots nous conduisent peut-être vers autre chose que la vie qui est réellement arrivée. En tout cas je pense que ce n'est pas une vraie autobiographie parce que chaque fois que je parle de moi, je parle aussi des autres comme s'ils étaient tous en moi alors que je me croyais toute seule.

* * *

Plus futée que je pensais, la maîtresse. Elle a tout de suite vu – mais comment ? – que le mot de l'autre jour ne venait pas de maman. Alors maman et papa sont allés la rencontrer sans moi, et puis avec moi, et il y a eu les questions, et les larmes, et les histoires. Tu dois aller à l'école, c'est la loi. Tous les enfants aiment l'école. Pas moi. La maîtresse parle trop lentement. Il faut recopier dans nos cahiers des phrases qui sont dans les manuels. À quoi bon, puisqu'on l'a, le manuel ? Et noter des questions et des réponses qu'on sait déjà. Quelle est la capitale du Québec ? Québec est la capitale du Québec. Rengaine rengaine rengaine. Même Caroline Bedaine est au courant, depuis le temps. J'aime mieux écrire juste les choses que je ne sais pas, autrement je perds mon temps et je n'ai pas de temps à perdre parce que quand même. La vie c'est bien beau mais ça fait vieillir, dit grand-maman.

Qui ne dit mot consent alors moi je dis : mot. J'ai compris qu'ils ne veulent pas qu'on apprenne tout trop vite : autrement on ne serait plus obligés de leur obéir. Alors au compte-gouttes, le savoir, et encore il y en a des bouts qu'ils inventent pour brouiller les pistes comme le père Noël qui est juste mon oncle Jacques avec une fausse barbe et un oreiller.

Donc la jeunesse : se faire remplir par les adultes. Enfin j'ai compris, et je fais ma propre éducation, sous le manteau et chacun pour soi. Plus tard j'aiderai Suzie. Dans le dictionnaire j'ai trouvé des pages et des pages de proverbes. Je les trouve beaux et difficiles, comme les plus belles choses. Qui sème le vent récolte la tempête. Je vais dans la cour et je sème le vent en battant des pieds et des mains, puis j'attends la tempête. Le ciel reste tout bleu, l'obstiné. Encore des histoires d'adultes, je suppose. Tu comprendras plus tard, ma chérie. Très drôle. À moi la tempête, je l'ai méritée.

Les mots tournent comme la grande roue de la foire et j'ai tout le temps de nouvelles questions. Pourquoi on peut dire qu'une personne est vache, mais pas qu'elle est cheval, ou lion, ou marsouin ? Pourquoi pas ornithorynque à bec de canard, qui est l'animal le plus drôle et qui a le nom le plus fou ? Je trouve que la maîtresse est un peu ornithorynque. Puis je fais une liste des mots les plus comiques, à part celui-là : catimini, hurluberlu (avant je pensais qu'on disait huberlulu qui est encore plus drôle), à la queue leu leu.

Dans le dictionnaire on trouve aussi les mots pareils. Je cours dans la cour. Je lis dans mon lit. Je dois mon doigt. Je veux un vœu. Je signe un cygne. J'écris un cri. Quelques lettres sont aussi des mots : ah, bée comme bouche bée, dé, euh, hache, cas, elle, aime, aine, oh, paye, cul, air, thé.

* * *

Depuis que j'ai fini mes mémoires et en attendant qu'il m'arrive autre chose, je commence des romans. Par exemple : « Je n'en reviens pas, de connaître quelqu'un qui a tué. » Ou encore : « Mon père a cent ans, ma mère trente et un. Il a épuisé deux femmes de son âge, et cette fois il en a choisi une qui est sûre de lui survivre. » Le début vient tout seul, si vite que ma main suit à peine, et après, ça casse. Est-ce que le reste est dans ma tête aussi, pareil à une sculpture qui se cache dans un bloc de marbre ? Ou faut-il le chercher dans le jardin ou sous un meuble ou dans la ville par quatre chemins ? Tiens, une autre question pour le front plissé de maman.

*   *   *

Il était une fois une petite fille (c'est encore moi qui parle mais j'ai déguisé ma voix) qui s'appelait Sophie (ça c'est pas moi) et qui avait des malheurs parce que son père était toujours parti à Paris, sa maman lui disait vous et ne jouait jamais avec elle, et que quelqu'un était toujours en train de lui faire un sermon sans que jamais elle profite de ses mauvais coups. Alors qu'en réalité, quand on fait une bêtise des fois on peut faire croire à maman que c'est le chat, ou encore maman est de bonne humeur ou trop fatiguée et elle laisse passer et ça s'appelle les bonheurs d'Annie.

*   *   *

Avec grand-maman, on regarde passer les nuages. Elle dit que ce ne sont pas les mêmes que dans sa tête, à cause du soleil et de la pluie. Dans sa tête ils font un brouillard de coton qui bouche les idées parfois. Dans le ciel ils ont toutes les formes : éléphant, monstre, théière, visage. Ils se dissolvent et se reforment sous nos yeux. Puis grand-maman s'endort sur la chaise longue, la bouche entrouverte, et je la veille, en chassant les mouches. Elles bourdonnent, ça fait un poème : elle a des mouches dans la bouche, elle doit prendre sa douche, personne n'y touche, je trouve ça louche.

* * *

Les vieilles personnes ont les mains tavelées comme les haricots verts qu'on a oubliés dans le frigo et des cheveux blancs si minces qu'on voit leur crâne à travers et il est rose. Ils ont aussi la peau plissée comme s'ils avaient passé leur vie dans la baignoire, même le visage qu'on ne met pas sous l'eau en général sinon pour jouer au poisson rouge.

Je n'ai pas toujours été une grand-mère, tu sais, dit grand-maman. Ah non ? Je n'étais pas ta grand-mère avant que tu existes, quand même, j'étais juste moi.

J'étais au monde avant toi, et même avant ta mère. Tu sais que je m'appelle Émilie ? Je ne savais pas qu'elle avait eu d'autre nom que grand-maman ou maman. Et puis j'ai été jeune, comme toi, j'ai déjà fait du vélo. Ho. As-tu déjà sauté les clôtures comme les moutons ? Bien sûr, à la ferme je sautais les clôtures pour aller me cacher dans le champ de maïs avec mes cousines et on chantait en regardant le ciel.

Je n'aime pas penser au monde avant que j'existe, ça me donne des frissons de penser que j'aurais pu être quelqu'un d'autre ou qu'une autre aurait pu être moi et que je ne l'aurais même pas su. J'en suis tout étourdie comme quand je me demande où disparaissent les heures qu'on perd quand on voyage vers l'est. Où peut bien se cacher une heure perdue ? Peut-être avec les bébés qui attendent de transformer les jeunes en grands-parents. Oh mystère, mystère.

Grand-papa était chasseur d'éléphants, dit grand-maman, et elle raconte la jungle. D'autres fois il était pilote d'avion, ou dompteur de tigres, ou bibliothécaire qui est le meilleur métier après écrivain d'après moi parce qu'on lit des livres toute la journée. Il est mort depuis si longtemps que grand-maman a dû oublier ce qu'il faisait. Elle dit qu'il y a longtemps qu'elle a perdu son visage. Mais elle se souvient très bien du bruit du vent chaud qui chatouillait le maïs, et de la maison des cousines où, à l'étage, il y avait une porte mais pas de balcon, une porte qui s'ouvrait sur le vide.

* * *

Quelquefois trop de mots tournoient dans ma tête et je n'arrive pas à m'endormir. Je descends le dire à maman papa qui lisent dans le salon. Maman me fait un bisou et me renvoie au lit compter des moutons. Pas très original, dit papa. Et alors, tu voudrais qu'elle compte des aubergines ? Vas-y, ma chérie, bonne nuit. Tu as la mèche courte, dit papa pendant que je remonte dans ma chambre en traînant les pieds. Les grandes personnes aiment répéter toujours les mêmes choses aux mêmes moments, je me demande bien pourquoi. Et pourquoi pas les aubergines qui ont une belle couleur et que j'aime dans la moussaka ? À tout prendre j'aime mieux compter les moutons, ils remuent plus. D'où il vient le sommeil ? Encore une de ces questions, par bonheur maman ne m'entend pas. Les moutons donc. Au-dessus de ma clôture et derrière mes moutons il y a toujours des nuages dont la forme change et me distrait et après je vois grand-maman qui saute par-dessus la clôture en soufflant fort et puis là je ris et je suis tout à fait éveillée et maman me crie de me fermer les yeux et me tenir tranquille ma chérie le sommeil viendra tout seul. Mais d'où il vient le sommeil maman ? Tu vas te taire, Annie, dit papa, et alors fini de rire, plus un son.

Parfois alors je me chante dans ma tête de faire dodo Colas mon p'tit frère. Gâteau, chocolat, ta sœur est en haut, qui fait des chapeaux, ton frère est en bas, qui fait du nougat. Le mot nougat goûte si bien la noisette que je m'endors toute rassasiée.

D'autres fois je reste plantée là comme un épouvantail dans un champ sans oiseaux. Aux grands maux les grands remèdes, je fais semblant que je disparais un morceau à la fois, en commençant par les pieds. Quand je n'existe plus, le sommeil vient me prendre et me porter jusqu'au matin comme les vagues portent les coquillages sur la plage.

*   *   *

Si je m'en vais de la maison, pierre qui roule n'amasse pas mousse, plus personne pour m'envoyer à l'école. Je commence à faire ma valise et celle de Caroline Bedaine, seulement je manque de place pour loger tous mes livres. Je ne peux pas les abandonner, Suzie risquerait de les manger ou d'en déchirer les pages. C'est fragile un livre. Alors je reste.

À la maison il y a quand même de bons moments : quand maman fait un gâteau au chocolat tout velouté au centre, grand-maman me prend sur ses genoux et me raconte le gros méchant loup, papa se rase avec la crème à barbe qui lui donne l'air du père Noël (moins la fausse bedaine de mon oncle Jacques) et me dit en riant : viens manger de la crème fouettée, Annie. Ou quand j'apprends la vie à Suzie – à cœur vaillant rien d'impossible – et qu'elle me regarde les yeux ronds en battant des mains. Après je l'installe dans la petite balançoire suspendue à l'arbre, et elle gazouille dans sa langue à elle, le suzien. Ou lire toute seule dans ma chambre, avec la pluie qui danse sur le toit. Ou encore partir en auto, et savoir qu'au bout il y a la plage et le sable que Suzie mange par poignées et les châteaux que je fais pour qu'elle les aplatisse – paf ! – d'un seul coup de ses grosses petites mains, et les galets (une année j'ai essayé de les ramasser tous et je pleurais d'en laisser tomber par terre) et les vagues qu'on entend même pendant qu'on dort et le matin les coquillages qu'on ramasse, très tôt, et qu'on rapporte à la maison pour se rappeler toute l'année que la plage existe.

* * *

Ce soir, tout le monde est au salon. Un monsieur à la télé chante des airs de Noël avec une moustache. Papa a fait un feu de foyer, je reviens au dictionnaire. Je prends Sémiotique sur mes genoux et lui raconte les proverbes qui le concernent. Chat échaudé craint l'eau froide. Le chat parti, les souris dansent. À bon chat, bon rat. N'éveillez pas le chat qui dort. La nuit, tous les chats sont gris. Je sais que celui-là est faux. Sémiotique est tigré, de jour comme de nuit. Je l'ai vérifié une fois que je m'étais levée pour faire pipi. Ça ne fait rien, il est content que tant de proverbes parlent de lui. Les chats c'est important et proverbial. Mais c'est le chien qui regarde bien un évêque.

Sur les genoux de maman, Suzie fait des exercices de voix. Bientôt elle va dire « non » et puis tous les autres mots aussi, seuls et ensemble. Grand-maman sert du chocolat chaud dans les grandes tasses bleues, maman me flatte les cheveux, papa met encore une bûche dans le foyer – pschttt ! – et je regarde monter les étincelles. Les flammes, les mots, les chats et la moustache sucrée que nous fait le chocolat, tout ça me remplit et déborde. J'ai presque envie de pleurer mais je ris à la place, à croire que rire et pleurer viennent de la même source en nous. Plus on est de fous, plus on rit. Santé passe richesse. Le soleil luit pour tout le monde. Près des yeux, près du feu, près, tout près, du cœur.

Un murmure ou un chant

« **P**as brillante, ma Julie, mais elle est tellement gentille. »
Cachée derrière la porte, j'ai tout entendu. Qu'est-ce
que c'est, pas brillante ? Terne comme le cuivre sale,
les vitres après l'hiver ? Lente comme une journée d'école qui
traîne les pieds ? Pour maman je voudrais devenir pure lumière.
La maîtresse avait sa voix sévère des jours où je baisse la tête
sans répondre à ses questions d'arithmétique. « Vous pourriez
au moins l'aider à faire ses devoirs. » Maman a eu un rire triste.
« Si vous croyez que j'ai le temps, avec tous les enfants que je
garde. Faut gagner sa vie, l'école passe après. – Le travail d'une
petite fille de huit ans, c'est l'école. – Julie n'est pas bonne à
l'école. Tant pis. Et puis j'ai besoin d'elle pour m'aider avec
les enfants. »

La maîtresse était fâchée, moi je comprends maman. On
est pauvres mais on loue une petite maison, on la tient très très
propre et on a planté des géraniums dans la cour. Pour ça il a
fallu travailler fort, tout le temps, et ce n'est pas fini. Je voudrais
que papa soit là, pour que maman se repose un peu. Papa est
parti, ou plutôt papa n'a jamais été là. Le temps de me glisser
dans le ventre de maman et il a pris le large. Maman est restée
là, toute seule, à regarder grossir son ventre. Plus de papa, et

pourtant je suis arrivée un jour – facile, dit maman, une lettre à la poste. Le plus beau cadeau de ma vie malgré tout. On est bien toutes les deux, pas vrai, ma Julie ? Maintenant maman a des sous du gouvernement – une misère –, et parfois une dame en chignon vient voir si elle cache un homme sous son lit. La dame compte les brosses à dents, il n'y en a que deux. Elle compte les enfants, maman dit qu'ils sont à une amie. Il faut ce qu'il faut, pour arriver.

Maman a eu l'idée de son travail quand j'étais bébé : tant qu'à être à la maison, on peut garder plusieurs enfants aussi bien qu'un seul. Les mamans partent le cœur léger, songeant au calme de maman, à ses petits plats maison. Pas une ne connaît la dame-gouvernement.

Dans notre cour il y a un grand arbre qui la remplit tout entière. Les feuilles font comme un murmure ou un chant, selon les jours. L'arbre est à moi parce qu'il n'y a que moi qui l'aime. Couchée dessous, le visage offert au ciel, je crois partir en voyage. J'aime penser à ses racines, si profondes que la terre en est pleine. Je passe l'été dehors, avec les enfants. Je leur montre les insectes, les grenouilles. Ils veulent les attraper et les mettre dans un bocal, tous la même idée, je dis non, il faut les laisser vivre. Regardez-les sans toucher. Pas besoin des mains pour bien voir. Si on regarde longtemps, sans bouger, on peut devenir une fourmi. On peut devenir le soleil, ou une feuille, ou tout l'arbre si on est patient. On sent le temps qui vient doucement, doucement sur nous, comme la couverture rose quand maman nous borde.

À la maison je sais tout faire, cuisiner, repasser, coudre. Une vraie petite femme, dit maman. À l'école je suis toujours perdue, les mots de la maîtresse glissent et m'échappent. Autant vouloir attraper des poissons de mes mains nues. Pour me consoler, je ferme les yeux et j'appelle l'arbre. J'arrive à m'imaginer que je ne suis plus là. Lorsqu'on doit répondre en chœur, je bouge les lèvres moi aussi, au hasard. Il me faudrait du temps, du silence pour chercher la réponse. J'y arriverais, quelquefois. Mais la maîtresse parle, les autres parlent, et quand vient le silence c'est déjà l'examen. J'ai les mains moites et la tête vide. La maîtresse rend les copies, le front plissé, je reconnais la mienne à la quantité de rouge. Quand elle m'interroge, je bafouille. Elle détourne la tête, d'autres lèvent la main, l'étonnent, la font sourire. Pas brillante, ma Julie, pas brillante. Depuis qu'elle a rencontré maman, la maîtresse a perdu espoir.

Une chance que j'ai les bébés. J'aime leurs mains curieuses – ce sont de petites étoiles –, leurs sourires mouillés, leurs éternuements soudains qui les font rire. J'aime leur poids dans mes bras, qui m'attache à la terre. Je les installe devant le miroir, je dis « bébé ». Le bébé du miroir les salue de la main, ils rient. Avec eux je ne bafouille pas. Je vois tout de suite s'ils pleurent de faim ou bien de douleur, je leur chante des berceuses et ils s'endorment en souriant. Tu as le tour, dit maman, tu sais toujours quoi faire. Je ne sais pas, je sens. À chaque départ, je pleure. Tu t'attaches trop, dit maman, faut voir ça comme un travail. Je leur chuchote de petites choses douces, des riens, yeux dans les yeux : tu es à moi et je t'aime, on s'en ira ensemble, on ne reviendra pas. Si j'en avais un tout à moi, je ne le quitterais pas un seul instant.

* * *

Les maîtresses se sont succédé, les gentilles et les impatientes. J'ai quatorze ans maintenant, l'arbre est toujours là. Nous non plus on n'a pas bougé. On m'a enlevé Lucie, puis Jean, puis Michelle et Marc, les jumeaux. Maintenant on a Claude, et Marie-France, et Annie. Annie est ronde et chaude et elle rit tout le temps, sa peau sent l'herbe et les pêches mûres. Elle se jette sur moi et me couvre de baisers mouillés, elle s'endort dans mes bras. Les jours où elle ne vient pas je tourne en rond.

J'avais cru qu'avec le temps j'aurais maman à moi toute seule. On irait au cinéma, on se raconterait des choses. Maman y arrive moins que jamais, le soir maintenant elle fait de la couture. Le coût de la vie, dit-elle, tu ne te rends pas compte. On vit dans le ronron de la machine à coudre, maman suit du regard – et gare aux doigts ! – le tissu rêche qu'elle pousse sous l'aiguille. Bleu marine ou brun terre, jamais de jolis motifs à fleurs. Elle porte des lunettes noires qui la vieillissent et tout de même elle a les yeux plissés. Je lui parle, elle fait « oui, oui », sans lever la tête. Je me répète, même jeu. Mes mains se crispent. Ma gorge se noue. Une envie me prend : la frapper, la casser en deux, l'empoigner et la forcer à me regarder. J'en ai mal au ventre, mal au cœur d'être fâchée contre maman. Même sous l'arbre où je me réfugie, la colère me brûle. Les feuilles grondent et gémissent au vent, tout chant aboli.

Les autres filles ont déjà des seins, des hanches pleines, elles ne parlent que des garçons. Mon corps à moi s'étire sans s'arrondir. Tant pis, maman a des projets pour moi. Il ne suffit plus de l'aider, je dois devenir une dame. Toi qui aimes tant les bébés, tu te marieras, tu auras une grosse famille. Le mariage, il n'y a que ça pour une femme. Et toi, maman ? Elle m'a giflée. Idiote, tu ne referas pas mes erreurs. Mets cette robe, peigne-toi, souris.

Maman achète des revues de mode qu'elle laisse traîner dans le salon. J'aime mieux ses magazines pour dames, les recettes et les conseils aux nouvelles mères. Maman soupire. Pour mon anniversaire elle m'a cousu une robe à grand col, je préfère mes vieux jeans. Tu ne grandiras donc jamais ? Maman ne dit plus que je suis gentille, pourtant je n'ai pas changé.

Quand j'avais douze ans, maman m'a expliqué les hommes. « Qu'une chose en tête », elle n'a pas dit laquelle. Les hommes sont comme papa, ils ne font que passer, après on les attend, quelle misère. Il faut les attacher bien solidement pour qu'ils ne partent pas. Je vois un monsieur en complet-veston qui se débat, attaché à une chaise. Peut-être que maman a manqué de corde ? Entre-temps il ne faut pas qu'un garçon me touche, je pourrais me retrouver enceinte et ce serait épouvantable. Maman s'est bien débrouillée, pourtant, avec moi. Je me souviens : « le plus beau cadeau de ma vie malgré tout ». Malgré quoi, maman ? C'était quoi, tes erreurs ? Pas moi, quand même ? Les hommes sont rusés, méfie-toi. J'ai dit « oui, maman », je dis toujours oui, comme ça j'ai moins d'ennuis. Puis je suis allée jouer à la balle avec les enfants, et je n'y ai plus pensé.

* * *

J'ai eu quinze ans hier : on m'a enlevé Annie. Ses parents s'en vont loin d'ici. Sa mère ne nous avait pas prévenues, je n'ai pas même pu lui faire de cadeau, ni lui chuchoter de ne jamais m'oublier. Elle est encore bébé, elle oubliera. Moi j'enrage d'être si faible. Jamais mon mot à dire, jamais.

* * *

Un homme vient au parc tous les jours, à l'heure où j'emmène jouer Claude et Marie-France. Il est petit et maigre et un peu perdu, les femmes qui regardent leurs enfants se balancer se détournent à son approche. Moi je lui trouve l'air gentil. Un jour je lui ai souri et il a rougi de plaisir. Ça m'a fait tout drôle de voir rougir un homme. Il m'a demandé s'ils étaient à moi, ces beaux enfants. J'ai dit non, puis il m'a demandé autre chose, si je vivais dans le coin, si j'aimais l'école. L'école non, les bébés oui. Tout le temps que je parlais il m'a regardée gentiment, sans rien faire d'autre. J'avais vraiment l'impression qu'il m'écoutait. Il m'a dit son nom : Pierre. Puis il a caressé la joue de Marie-France avant de s'en aller. Il est revenu le lendemain, et les autres jours aussi.

Mais Annie, mon Annie est partie. Un à un mes enfants m'ont été enlevés. Aux petites filles on enlève tout. Il me faut quelqu'un à moi.

Je m'ennuie à la maison, je m'ennuie à l'école. Même l'image de l'arbre m'a abandonnée. Je sens l'avenir tapi en moi, encore un effort et je vais devenir grande. J'y arriverai à ma façon, tant pis pour maman.

* * *

Seulement j'aurai besoin d'aide, au début. Un jour – j'ai très peur – je dis à Pierre que je veux un bébé à moi, tout de suite. Tu vas m'aider, Pierre ? Maman ne voudra pas mais je n'écoute plus maman. J'ose à peine regarder Pierre, pourtant il n'a pas l'air fâché. Il hésite, puis me demande si je suis sûre. Oui, Pierre. Tu ne le diras jamais à personne ? Je pourrais aller en prison, tu sais. Non, Pierre, je ne dirai rien. Les gens sont fous, je ne comprends pas qu'on veuille mettre Pierre en prison pour mon choix à moi.

* * *

Le plus dur reste à venir. J'attends que maman s'attable devant la machine à coudre pour lui annoncer que je suis membre de la chorale : trois répétitions par semaine, après l'école. Ma voix tremble. Mes joues brûlent. Maman regarde

56

l'aiguille qui perce et reperce le tissu brun. Si elle me regarde dans les yeux, elle saura. Maman, regarde-moi.

On dirait qu'elle ne m'a pas entendue. Enfin elle dit, sans lever la tête : parfait, ça te fera du bien.

* * *

Je n'étais jamais allée au motel. Avec maman, on n'a jamais pu voyager. Il y a un couvre-lit à carreaux bruns et orange, des verres enveloppés de plastique, un tout petit savon. Une odeur de colle et de bois neuf me pique le nez. Pierre me dit de m'allonger. Il m'embrasse, sa bouche est chaude et goûte le tabac, je me sens flotter. Puis il se lève et se déshabille. Il est fait comme les garçons, en beaucoup plus grand. Tu me trouves beau, Julie ? Je dis oui pour lui faire plaisir. Je ne sais pas s'il est beau ou non. Il me fait signe et je me déshabille à mon tour. Il me demande si j'ai déjà vu d'autres hommes, je dis non, seulement les bébés. Il est content, il rit. Il se couche sur moi et me dit d'ouvrir les jambes.

* * *

Chaque fois on fait la même chose. Il pousse des cris, il s'enfonce en moi. Parfois je sens une brûlure ou un chatouillement agréable. Parfois je ne sens rien : je ferme les yeux et je vois l'arbre. Je cherche le visage de mon bébé, la nuance exacte de ses yeux. Après, on allume la télé, on mange du chocolat apporté par Pierre et il me parle, la tête sur mon ventre. Il arrive du grand Nord, il ne connaît personne ici. Les jeunes filles lui plaisent bien, pas les femmes, qui sont méchantes. Toi tu es si jolie, si fraîche.

Un jour, je me rends compte que j'ai réussi. Dommage, dit Pierre, il faudra arrêter de se voir. Si tu veux garder ton bébé, ne dis rien à personne. Sinon on pourrait te l'enlever. Il m'embrasse et s'en va, bonne chance ma petite Julie.

Je me tais, j'attends. Maman travaille. Elle ne voit rien. Mon ventre s'arrondit, maman a les yeux fermés. Je voudrais lui parler. Je n'ose pas. Finalement, un soir, maman lève les yeux sur moi. Elle voit. Elle blêmit.

– Qui t'a fait ça ?

Je ne dis rien. Maman cajole, menace, se fâche.

– Bon, c'est Pierre.

– Qui ça, Pierre ? Quel est son autre nom ?

Il ne me l'a jamais dit. Où il habite ? Je ne sais pas, on allait au motel. Lequel ? J'ai oublié le nom, il était grand, avec une piscine. Et son auto ? Je ne sais plus, elle était bleue, ou grise. Un homme brun, vingt ans, trente peut-être, j'ai déjà oublié son visage. Ce n'est pas important.

– Je ne te laisserai pas gâcher ta vie, dit maman. On va arranger ça.

Elle parle longuement, elle s'emporte puis se calme, je la laisse dire. J'ai les mains croisées sur mon ventre, sur mon bébé. À moi, à moi seule. La voix de maman se perd, je rêve : par la fenêtre de la cuisine je vois l'arbre, et l'arbre me berce, je n'entends plus que le bruit du vent dans les feuilles et au loin, tout bas, murmure et chant réunis, une voix d'enfant qui dit mon nom, Julie, maman, Julie.

Pur polyester

On parle beaucoup de laine, ici. Pas n'importe laquelle, la vraie, la pure. D'où viens-tu, toi ? Et tes parents, et leurs parents ? Du Lac-Saint-Jean, très bien, du Bas-du-Fleuve, excellent, du fin fond de l'Abitibi, parfait. Montréalais depuis Jacques Cartier ? Alors voici ton certificat. « Un Québécois pure laine. » Pure laine comme Maria Chapdelaine ? Mais non, Louis Hémon était un maudit Français. Faut pas confondre. Je suis immigrante, je confonds. Pour nous, pas de laine, la vie est trop chère ici et mes parents trop pauvres. Pur polyester. Faut vivre avec ce qu'on a. T'es une p'tite qui, toi ?

À la polyvalente, on est beaucoup d'allophones. Allô, allophones ? Des *parlant-autre*. Je parle autre. Mon affaire est confuse, douteuse. De l'Espagne à Montréal, en passant par Paris. À peine leur fille née, mes parents filent en France, puis, dix ans plus tard, ils viennent ici. La dérive des continents.

Mon village est le plus beau, mon cousin est ton cousin, tous nous sommes parents depuis la nuit des temps. Tricotés serrés, amoureux de notre arbre généalogique et d'une ville de France que nos ancêtres ont fuie. T'es une p'tite qui, toi ? Une Gagnon, une Tremblay d'Amérique, une Gélinas ? Une quoi, dis-tu ? Beurk, quels noms ils se paient ces gens-là, impossibles à prononcer, et cette peau basanée, ces yeux bridés qui nous volent nos jobs, cette marée d'enfants qui monte et nous noie, nous les salut-les-vrais. Tu viens d'où, donc ? Et quand y retournes-tu, au fait ? La laine est pure ou elle n'est pas. On ne devient pas Québécois.

* * *

On a connu les pesetas, puis les francs, et maintenant les dollars, les piasses. Quel que soit le nom on est toujours à court. Maman travaille dans une buanderie d'hôpital, papa fait des réparations chez les gens. Bien fait pas cher. Pas assez cher, dit maman. Alors on est dans la misère, pas la grosse comme en Europe mais la petite quand même, la misère grise. Pour nous, pas de patins à roues alignées, pas de veste de cuir ni de vélo, à peine des patins d'occasion trop grands, tout usés au bout. Maman coud mes vêtements, le soir après la buanderie, et malgré son long travail, je vois bien que ce n'est jamais ça. J'ai encore et toujours l'air de débarquer, alors que je voudrais tant, enfin, être arrivée quelque part.

* * *

Je connais Don Quixote et el Cid, Charlemagne et Mendès France, et maintenant Jeanne Mance et Jacques Cartier et Maisonneuve. J'ai deux langues, et je n'en ai pas. Mon espagnol est lamentable, dit maman, pauvre, hésitant, trop proche du français. À l'école on m'appelle la Parisienne. Mes expressions surprennent, j'écris avec un accent.

Gilet et pull, piasses et fric, polyvalente ou lycée, les mots me manquent, ou plutôt j'en ai trop. Comment trier ? Et le livre de téléphone, et la pizza *alldress*, et bienvenue comme réponse à merci, c'est de ma faute, tout ça ? De ma faute si, dans les magasins, on regarde ma tête et s'adresse à moi en anglais ? Mal leur en prend d'ailleurs, j'y comprends que dalle et rien pantoute.

* * *

Dur, l'exil, *Dios mío*. Les lettres arrivent, toutes minces sur papier bleu, et les photos, et maman rit et pleure de voir, déjà prêts pour l'école, des bébés qu'elle n'a jamais bercés. Maman est retournée une seule fois, pour la mort de sa maman à elle. Elle a tout de suite pris le deuil et ne l'a jamais quitté depuis. Quand on perd sa mère, on perd la terre entière, dit-elle, et le sel, et la lumière. Un jour tu sauras. Son visage s'éteint quand elle pense à mon futur deuil à moi. Ma pauvre petite fille que je ne pourrai pas consoler de m'avoir perdue.

* * *

Moi je ne suis pas en exil, sinon par maman et papa. Je ne suis vraiment de nulle part, tant ils m'ont dit que Paris ce n'était pas chez nous, sinon peut-être un peu, déjà, d'ici. Pour moi l'Espagne n'est qu'un mot, quelques images qui transitent par la voix de ma mère, une nostalgie de soleil. Salamanque, notre ville d'université et de cathédrales, la pierre dorée, les oiseaux qui tournoient, la Plaza Mayor, les lézards à l'heure de la sieste, le vieillard aveugle qui vend des billets de loto, les terrasses. L'Espagne est pour eux le bonheur premier, le pays où ils habitaient leur langue, où ils ne nageaient pas encore dans le français comme des enfants malheureux dans un vêtement de la mauvaise taille.

* * *

À Paris, maman était femme de chambre dans un hôtel zéro étoile, elle traînait l'aspirateur et le baquet d'eau jusqu'au sixième étage, et des clients mal rasés tentaient de lui prendre les fesses dans l'escalier. Les chambres sentaient la vieille poussière et l'alcool bu en solitaire et la tristesse mal lavée.

Quand j'étais bébé, papa et maman venaient d'arriver en France, ils n'avaient trouvé qu'une chambre de bonne, six étages à monter encore et un minuscule lavabo qui donnait de l'eau froide seulement et qui fuyait. La toilette était dans le passage, au cinquième. En face, un autre immeuble nous coupait la lumière. Tu as passé là la première année de ta vie, dit maman, les couches à laver à l'eau froide, mes mains en saignaient, et pas moyen de faire les cent pas avec toi quand tu pleurais – après quatre pas c'était le mur et puis je ne voulais pas réveiller ton père, alors je sortais marcher avec toi dans l'escalier, j'avais toujours peur de tomber mais tant que je marchais tu étais tranquille, collée contre ma poitrine. Je connaissais dans le noir l'emplacement exact de chaque minuterie, les marches qui craquaient le moins, je descendais, je remontais, jusqu'à en avoir le vertige.

Je ne me rappelle pas cette chambre, seulement le studio que nous avons loué ensuite, mais je crois la voir : le couvre-lit élimé, le papier peint décoloré, maman qui monte et qui descend l'escalier trop étroit, la nuit, avec dans les bras un petit bébé qui est moi. Un petit bébé qui a grandi avec le teint et les yeux sombres de ses parents, mais avec dans la bouche, très tôt, les mots d'une autre langue.

* * *

Une nouvelle fille est arrivée dans ma classe, Rosa. Elle vient du Sud et elle ne comprend rien à rien. On me l'a confiée à cause de l'espagnol.

Dans sa famille ils sont cinq enfants, sa mère fait des ménages et envoie tous ses sous à sa mère à elle, au pays. La mère de Rosa dit que malgré l'hiver et la police du Bien-Être c'est le paradis ici après la guerre civile, l'usine où on pose des milliers de fermetures éclair à toute vitesse et à bas prix, le mari qui vous bat et ne travaille pas, et chaque année, chaque année un nouveau bébé. Tu ne sais pas la chance que tu as. Ici à quarante ans les femmes sont encore jeunes, pas chez nous.

La mère de Rosa veut lui apprendre à faire les *tortillas*, Rosa aime mieux lire ou jouer. Aucun homme, Rosa, ne va épouser une femme qui ne sache pas réussir les *tortillas*, parfaitement rondes et toutes minces et uniformes, et les faire dorer sans les brûler dans la grande poêle de fonte. Ceux qui sont ici, seuls, se marient vite à cause de l'odeur grillée et sucrée des *tortillas* qui leur donne le mal du pays.

– Je ne me marierai jamais, dit Rosa, ou alors beaucoup plus tard, quand j'aurai vingt-cinq ans.

*   *   *

En espagnol, la voix de maman est pleine de musique. Ses idées sont trop grandes pour ses pauvres mots de français.

Un jour, autrefois, à la station de métro : Excousé, messiou, est-qué vous mé pout decir...

Le monsieur a les yeux tout grands et l'air fâché, maman baisse la tête. Elle me pousse en avant, je me hisse sur la pointe des pieds et je répète, comme il faut, sa question. Les bons mots, bien prononcés, le monsieur répond, tout rentre dans l'ordre. Le pli inquiet disparaît du front de maman, et je comprends que, devant témoin, elle ne parlera plus. Je devrai me glisser entre elle et le monde, pour la protéger. Je suis devenue sa voix, son souffle. Je suis devenue sa mère.

* * *

On est mieux ici, tellement tellement mieux, si tu savais, dit maman. Déjà qu'ici on est plus ou moins bien, ça ne donne pas envie de retourner.

Pourtant je sais que maman hait la buanderie, même si elle n'en parle jamais. Les heures qu'elle y passe, une fois la journée finie, n'existent plus. Pas la peine de se laisser gâcher le temps libre aussi. Mais raconte, maman, je veux savoir. Alors maman me regarde bien dans les yeux, et elle raconte. De sept heures à dix-sept heures, quatre jours par semaine, devant une machine à repasser qui emploie six personnes. La fatigue dans l'os, l'air plein de charpie qui râpe les poumons, les longues heures debout, dans l'ennui et le grondement des sécheuses et la mauvaise lumière au néon qui fait les visages tout mouchetés. L'été il y a des évanouissements chaque jour. On saigne du nez. Les jours de taies d'oreiller on rentre avec les paumes brûlées. Le patron de la buanderie fait des rondes, en plus des contremaîtres, il a des yeux de glace et deux mots à la bouche : plus vite. Les lentes sont renvoyées, maman a appris. Les employées viennent de partout, la tour de Babel au sous-sol d'un hôpital, on se parle par gestes et par bribes, à la pause, si on en a l'énergie.

J'écoute maman et sa fatigue s'infiltre dans mes os. Quand je serai grande je serai médecin et reine de l'hôpital, je guérirai les enfants malades et je guérirai aussi la fatigue de maman. J'effacerai les marques de chagrin de son front, les ampoules de ses mains. Je lui achèterai une maison toute blanche et elle passera ses journées à boire des *horchatas* au bord de la piscine. Sauf que – j'y pense – elle voudra peut-être rentrer en Espagne et moi je ne pourrai pas la suivre si je suis médecin ici. Je te trahis, maman, en prenant racine dans ce pays, avec mon école, ma rue, mon amie Rosa et puis, qui sait ? un jour, dans ma vie, un garçon d'ici.

*   *   *

La neige, la glace, les doigts morts. Le froid brûle autant que le feu, on ne savait pas. Le froid dure, dure, la neige crisse sous les pas, le soleil nous trompe, il n'a aucune chaleur. *Ay Dios, ¡ qué espanto !* L'enfer est froid, je le sais maintenant, dit maman en enfilant chandail sur chandail. *Mi país* c'est l'hiver.

Blanca Navidad, chantait la radio, pour nous les mots n'allaient pas ensemble, Noël comme le reste de l'année était vert ou gris. Ici on a compris. Le froid brûle, le froid mord, il se glisse même dans l'appartement lorsqu'on baisse le chauffage pour économiser l'électricité. Quel pays de sauvages, votre Canada, dit la mère de papa, venue en visite. Il n'y a que les brutes pour vivre ainsi. Nous les jeunes nous oublions le froid, nous patinons jusqu'à avoir les pieds si gelés que nous pleurons, de retour à la maison, lorsqu'ils dégèlent enfin.

J'avais hâte de voir la neige, la première fois. Je pensais qu'elle serait différente de celle de Paris (là-bas dès qu'il tombe six flocons on ferme les écoles), avec des flocons gros comme une soucoupe, qu'on pourrait attraper et lancer. Quand j'ai vu combien ils étaient petits et légers et fondaient sur ma paume tendue, j'ai eu envie de pleurer. Au bout du compte quand même, il y en a assez pour nous faire oublier que chaque flocon n'est presque rien.

*   *   *

Rien n'a été dit, mais j'ai compris entre les lignes. Nous on n'a pas pu aller à l'école longtemps, toi tu iras, tu nous vengeras. Est-ce que j'aime même l'école ? Je sais depuis longtemps que je n'ai pas le choix. Il faut être la première, toujours, tout le temps. 98 à l'examen ? Quelles questions as-tu manquées ?

A- en maths, pourquoi pas A comme la dernière fois ? File dans ta chambre faire tes devoirs.

– Ce n'est pas avec des A qu'on trouve un mari, dit mon père. Tu ferais mieux d'aider ta mère à la cuisine.

– Tu voudrais qu'elle finisse à la buanderie, elle aussi ? Ma fille à moi ira à l'université.

La volonté de ma mère est une main qui me pousse dans le dos pour me faire courir. Les filles d'ici disent que les parents ne savent rien, ne valent rien. « Je peux me débrouiller toute seule, j'ai pas besoin d'eux et je le leur dis. » Moi je pense aux mains brûlées de ma mère, au dos de mon père qui se voûte de plus en plus, je pense à ce qui leur a fait traverser la mer et la peur pour que leur petite fille grandisse dans la lumière, et je laisse dire les filles. Mais je suis gênée pour elles.

* * *

Rosa est comme moi, petite et un peu ronde, au visage de lune. Malgré tout, elle est la plus rapide à la course à pied. Moi j'aime la natation : plonger à toute vitesse dans l'eau qui me résiste et me porte en même temps, retenir mon souffle pour faire toute la longueur de la piscine sous l'eau. J'aime les rires bruyants des filles dans le vestiaire, les regards en coin qu'on jette sur les seins des autres. Après j'ai très faim et Rosa me donne la moitié de son repas en plus du mien, puis au fil des jours presque tout, elle commence à pâlir, à fondre. Tu vois que je deviens mince, comme les filles des magazines ? Elle ne court plus, le souffle lui manque, ça je n'y comprends rien, puisqu'elle est de plus en plus légère.

Un jour An Li qui se fait appeler Diana arrive avec les cheveux tout courts et frisés et tout le monde se met à rire. Mais quelques jours plus tard, Sébastien l'invite pour la première fois, et elle se félicite d'avoir eu raison.

* * *

Un jour d'automne, on nous demande à nous tous de voter pour dire si nous voulons quitter le Canada. Nous semblons avoir dit « oui », puis le « non » monte comme une vague de fond, et puis, finalement, c'est « non », du bout, mais vraiment du bout des lèvres.

Alors c'est les larmes à la télé, les drapeaux bleu et blanc si beaux, bien mieux que ceux avec la feuille d'érable. La tête d'enterrement du chef du gouvernement. Dès qu'il ouvre la bouche, on est estomaqués. « L'argent et des votes ethniques. » L'argent, connais pas. Les votes ethniques je connais, c'est maman et papa et la mère de Rosa et les parents d'An Li qui se fait appeler Diana et tous les autres, *ay Dios*. Il continue de parler, le monsieur au visage rond et triste, il dit « nous », nous avons perdu, nous gagnerons la prochaine fois, les jeunes sont avec nous. Leur « nous » abolit notre « nous », fait de nous des « eux autres », des méchants. Leur « nous » me brise le cœur, me dit qu'on ne sera jamais chez nous, ici. Pourtant si j'avais eu l'âge de voter, ç'aurait été oui.

– Ces gens-là sont froids comme leur pays, dit papa, ils nous détestent, ils ne veulent pas nous connaître. Jamais on n'aurait dû venir ici.

À l'entendre je comprends que notre « nous » n'est pas mieux, qu'il les exclut aussi. Je voudrais un nouveau mot, un mot qui unit, qui rassemble, pour pas qu'il y ait la guerre du nous et du eux.

Je sens cachée en moi – dans mon sang ? dans mes os ? – une voix qui me vient de loin, une voix très jeune et très vieille à la fois, une voix de grand-mère peut-être, une voix de femme en tout cas qui chante des berceuses, des lunes et des gitanes et des cavaliers dans la plaine. Je sens aussi en moi l'amour du froid, de la neige, de l'espace et des recommencements. Il y a le pays du sang, et le pays du temps, celui où on vit, où on grandit. Ce qui transite par la chair et les os ; ce qui se mesure en années, en habitudes, en désir d'être, un jour, chez soi pour vrai.

Mes parents ont voulu, à coup d'efforts, me donner les clés de ce pays à eux fermé. Voulu que la langue de ce pays coule de source dans ma bouche, que je sois chez moi là où ils ne seront jamais chez eux. Je suis avec eux, je suis toute seule, je suis aussi avec les gens d'ici, de mon pas-tout-à-fait-mais-presque-pays. Entre-deux, sur la brèche, en train, peut-être, de devenir – mais le devient-on jamais ? – Québécoise.

III

Reine de l'école, 1975

Ma meilleure amie est belle et moi je suis laide. Nous avons quinze ans toutes les deux et je sais, déjà, qu'il est trop tard.

Laide ? Même pas : moins que ça. Plongée dans ses revues de mode, sa bible à elle, ma mère évoque parfois les « belles laides » et l'effort de volonté qui les fait éclatantes, souveraines. La beauté peut naître d'un violent désir d'être belle. On s'installe au centre et on appelle les regards. Jamais je n'aurai cette force. Dans mon miroir il n'y a personne, personne.

Invisible. Nulle. Oblitérée. Les yeux des garçons glissent sur moi, indifférents, comme sur une chaise, une tache d'encre, une feuille chiffonnée. Ils se prosternent devant Jeanne, sans me voir à ses côtés. On va en faire la Reine de l'école et je vais la perdre.

À quatorze ans, quinze ans, la beauté éclate. Tendres courbes, chevelure-torrent, bouche en cœur et fines jambes sans fin. Pas un seul garçon n'a observé, d'aussi près que moi, les belles filles. Mon regard jaloux épingle leurs traits, leurs gestes, la fulgurance de leur corps dévoilé, au sortir de la douche commune. Espionne, juge d'ombre, je soupèse toutes grâces et toutes failles. Le soir, enfermée dans ma chambre, je singe les plus belles devant la glace. Je les juge. Je les méprise.

Je donnerais tout pour leur ressembler.

*   *   *

On voit beaucoup de choses quand on est invisible, bien qu'elles ne servent à rien. Entre garçons et filles, le spectacle a les allures d'une guerre : échanges et feintes, escarmouches et batailles rangées, butin, trahisons, blessures, otages, sourdes capitulations. Ils ont le pouvoir de choisir et nous celui, moindre, de refuser. Nous existons si, à notre vue, ils se troublent et tremblent, se mettent à rager, à désirer. Autrement, rien.

En bande, mains dans les poches, ils reluquent notre passage. Nous encaissons, sans broncher, les injures ou les compliments, teintés de mépris, qu'ils crachent à mi-voix. Abandonnées à leur jugement, troupeau avide, ravies s'ils daignent parler de nous. Nous on parle d'eux tout le temps, ou presque. Nous rêvons, complotons, attisons leur désir, leur besoin de nous, qui seuls entament leur indifférence. Que l'un d'eux quitte les rangs et se hasarde, bafouille une invitation, se dandine, rougisse, la voix fêlée, sous les rires voraces des copines aux aguets : voilà notre jeu, notre but, notre raison de vivre. Seule la fascination peut nous ouvrir un instant leur monde, les rendre aussi faibles que nous. « As-tu vu comment il m'a regardée ? » « Si tu savais ce qu'il m'a dit ensuite... » Après coup, la scène resplendit à plein, commentée inlassablement au téléphone avec sa meilleure amie, ou jouée devant un cercle d'admiratrices à la sortie des cours.

Je dis « nous », mais jamais ces choses-là ne me sont arrivées. Aux garçons je n'ai rien à donner. Grâce à ma mère, à ma sœur, je connais par cœur l'inventaire de mes disgrâces. Peau grise, visage sans traits, yeux aux cils courts, que rapetissent de grosses lunettes. Mes cheveux n'ont pas de corps, mon corps non plus. Ni seins ni hanches, rien pour troubler. Depuis trois ans je n'ai pas grandi. Pas de corps, pas de nom. Première de classe, autant dire rien. Hors jeu. Hors vie.

Ils ont les sports, la science, les autos. Déjà ils sont lancés, tendus vers l'avenir. À nous un rêve unique : celui de plaire. Comble de bonheur, être élue Princesse de sa classe, puis couronnée parmi toutes celles-là Reine de l'école. Sans la beauté qui ouvre la porte à l'amour, on n'est rien. Tout advient par eux ; je n'aurai donc pas d'histoire.

* * *

Jeanne est ma meilleure, ma seule amie. Longtemps, elle aussi a été invisible. Maladroite, trop grande, les épaules voûtées. « La girafe ». Elle était de mon côté, chez les spectateurs. Puis son corps a fleuri dans tous les sens et elle a laissé allonger ses cheveux blonds. Du jour au lendemain, elle a été la plus belle. Elle m'a proposé de l'accompagner aux fêtes de l'école, « pour rire ». C'est là, dans le gymnase bondé où les garçons à tour de rôle la prenaient dans leurs bras et tournoyaient lentement avec elle, que j'ai su. Je l'ai vue parler à deux ou trois d'entre eux en me montrant du doigt, j'ai vu leur surprise et leur refus instinctif, leurs yeux détournés. On ne peut pas danser avec une absence, une moins qu'ombre, l'invisibilité risquerait de déteindre. Assise sur un banc, à l'écart, je faisais celle qui n'a rien vu.

* * *

Commence, ce matin, la fin de Jeanne et de moi. Mi-sérieux, mi-allumé, le professeur ouvre le rituel : « Qui proposez-vous comme Princesse de la classe ? » « Jeanne. » « Claudine. » « Louise. » Seuls les garçons nomment, choisissent. Claudine, la plus belle d'avant, se pavane déjà, sans voir. Louise se mord les lèvres, l'air essoufflé ; elle sait. Je dis à Jeanne : « Ce sera toi, tu verras. » Elle hausse les épaules. Souveraine, elle sourit à demi, une statue de femme, un ange. Là où elle va, je ne pourrai pas la suivre. Elle sur une rive, moi sur l'autre. Elle sur la scène, moi dans la salle obscure. Jusqu'à ma disparition parfaite et totale.

J'hésite à peine avant de faire mon choix. Les bulletins de vote ramassés, le professeur s'absorbe dans de lents calculs, se plaisant à faire durer l'attente. Je comprends à son visage qu'il n'avait rien vu venir. Louise a l'air presque soulagé, Claudine sort en courant, le regard aveugle. Personne ne ramasse ses cahiers tombés.

Tout le monde a donc vu ce que je vois. La beauté de Jeanne est évidente, même pour elle, si éclatante qu'elle ne s'accompagne ni d'angoisse, ni d'orgueil, aussi tranquillement sienne que ses ongles, son pouls, le rythme secret de son cœur.

« Élections générales dans deux semaines. » Jeanne les remportera, elle changera, on me l'enlèvera. J'ai voté pour Claudine, la deuxième. Comment, sinon, garder Jeanne près de moi ?

* * *

Après l'école, nous rentrons ensemble comme toujours. Et encore plus qu'avant – les nouvelles vont vite –, viennent les saluts, les regards, les coups de klaxon. Avant, Jeanne marchait les épaules rentrées, la tête baissée, tous ses sourires étaient pour moi. Nous nous moquions des belles filles, nous lisions les mêmes livres, nous nous inventions ailleurs, ensemble. L'une était toujours première de classe, l'autre deuxième, comme à tour de rôle, sans rancœur. Entre les sorties, les vêtements à acheter, les soirées passées au téléphone, Jeanne n'étudie presque plus. Je continue, seule, pour meubler le vide. Parfois je sens confusément qu'il y aura là une revanche, un jour, une porte de sortie peut-être, mais si lointaine qu'elle ne compte pas encore. Ne compte que ce temps mort où je traîne seule, sans armes, sans Jeanne.

* * *

Soirée de régime, ma mère n'a fait qu'une salade. « Excellent pour la taille et pour le teint. » Un sourire complice passe entre elle et ma sœur. Après, je lave la vaisselle et Nina l'essuie, maman lit le journal, posé bien à plat sur la table de la cuisine. Chaque soir, elle épluche les offres d'emploi. Elle encercle, souligne, découpe, suivant un code mystérieux. Elle dit : « Si j'étais superviseur des ventes, je doublerais mon salaire. » Elle dit : « Je pourrais enseigner le français en Arabie saoudite, c'est payant. » Jamais elle n'envoie son *curriculum vitæ.* « Je prends d'abord le temps de bien monter mon affaire. »

Maman vend des produits de beauté dans un grand magasin, elle est aussi lisse qu'une pierre polie, sans faille. Chaque soir en arrivant, elle porte un parfum, un maquillage différents. Elle dit : pas besoin d'être belle, les plus grandes actrices ne sont pas belles. Regarde les mannequins, il s'agit de vouloir. La beauté se mérite. Faut jamais lâcher. La vie est dure pour les faibles, pour les femmes comme elle, mariée jeune, mère jeune, divorcée jeune. « Pourtant je me suis toujours tirée d'affaire. » Les hommes vont et viennent dans sa vie, ombres fuyantes. Ils vont plus qu'ils ne viennent, elle ne se décourage pas. Tous les soirs elle fait des exercices, des poids aux poignets et aux chevilles, le visage d'une petite fille modèle penchée sur ses devoirs. Elle met quinze minutes, matin et soir, à se nettoyer la peau. Du travail, de la volonté. Moi je n'ai pas de volonté. Je suis molle et pourtant intraitable, poids mort, terrain vague. Je renverse les plats, je n'ai jamais faim, je n'entends pas ce qu'on me dit. Aucun garçon ne m'appelle. « Rien à faire avec toi », elle m'a abandonnée. Moins elle me regarde, mieux elle se porte. Tout l'espoir est pour Nina maintenant.

Nina a quatorze ans, elle me dépasse d'une tête. Elle et maman se passent des rouges à lèvres et des boucles d'oreilles. Elles parlent bijoux, foulards, couleurs, régimes, comme un mécanicien parle carburateur et pistons. Elles s'admirent ensemble devant le miroir sans jamais se chamailler. Il y a deux belles femmes dans cette maison, et puis, toute seule, il y a moi.

Nina pose le verre qu'elle essuie et se tourne vers ma mère.

– Tu me donnes de l'argent, maman ? Il faut que j'achète des jeans. J'ai besoin de souliers roses aussi, pour mettre avec ma nouvelle jupe.

– Tu peux pas mettre tes souliers blancs ?

– Ben non, ils sont presque finis. De toute façon, tu le sais que c'est des souliers roses qu'il faut avec ça.

– C'est vrai, pourtant. Mais j'ai pas d'argent, ce mois-ci.

Je dis :

– Jeanne va être la Reine de l'école.

– Pas sûr, ça, elle a gagné juste pour ta classe, dit Nina.

– Tu verras, jalouse, c'est elle qui va gagner.

Ma mère lève brusquement la tête.

– Pas de danger que tu sois élue, toi, hein ?

– Elle ? Tu es folle ? Nina rit.

Machinalement, je frotte une assiette sans tache. Songeuse, détachée, ma mère poursuit, comme pour elle-même.

– Une vraie beauté, Jeanne, elle devrait t'aider à t'arranger. Ça n'a jamais rien donné que j'essaie, moi. N'empêche que vous faites une drôle de paire. Pour moi elle te laissera bientôt tomber.

Un geste trop vif et la tasse de maman rebondit contre la paroi de l'évier. Nina exulte : regarde, elle en a encore cassé une.

* * *

Les garçons, les filles : deux mondes que le désir seul rapproche. L'ennemi, la flamme, la fièvre, la terre promise.

Leur but, aller jusqu'au bout. Le nôtre, les en empêcher. À se donner à un garçon, on se perd. Il le raconte à tous ses amis et après ils rient de nous, les filles bien chuchotent sur notre passage, on est à part, marquée. Quelques-unes quittent l'école abruptement et on se moque de leur ventre déjà rebondi. Celles qui résistent seront récompensées, le jour où un diamant au doigt leur donnera raison.

Ils ont des voitures d'occasion qu'ils rafistolent et astiquent, ils roulent en ville, toutes vitres baissées, ivres et heureux. À eux la vitesse, l'initiative. À nous le téléphone, et l'attente. On se fait les ongles, on se frise ou se défrise les cheveux, selon. Les chiffres de la femme idéale : 36-24-36. Chacune connaît les siens et aspire à mieux. Il y a des exercices pour développer le buste, raffermir les cuisses. Pour connaître la forme de son visage, on en trace le contour dans la glace à l'aide d'un rouge à lèvres. La forme ovale est la forme parfaite ; on peut l'imiter à l'aide d'un bon maquillage. Les cheveux blondissent si on les rince au jus de citron. Les concombres soulagent les yeux enflés. Voilà nos projets, notre science. « Les filles ne comprennent rien à la physique », affirme le professeur, qui le prouve en tirant ses exemples de la mécanique automobile. Sans révolte, on abandonne le savoir aux garçons. On apprend à taper à la machine, à coudre. On tombe amoureuse de Mick Jagger. On passe des heures devant le miroir, à s'épiler les cils. On s'imagine actrice, mannequin. On attend les appels.

J'aime m'imaginer différente des autres. Seule de ma classe, je dévore *les Hauts de Hurlevent, De grandes espérances, Anna Karénine*, tous les romans longs et grands et tristes de la bibliothèque. Le samedi soir, faute d'invitations, je garde des enfants ; le lundi, après l'école, je m'offre des livres. Les enfants me laissent de glace, je voudrais entrer dans les romans, découvrir un monde à part qui me console de celui d'où je suis exclue. Rien n'en console vraiment. Je voudrais être un génie, je voudrais être une belle poupée. En robe du soir noire, des orchidées flottant dans mes cheveux parfumés, je descends lentement un escalier en colimaçon, au bas duquel attend le garçon ébloui qui me conduira au bal. Je ne vois jamais son visage, mais sans lui, il n'y a ni robe, ni escalier, ni bal, ni moi. Je suis comme toutes les autres au fond, la tête bourrée d'images, de chansons d'amour, de visages de femme auxquels j'essaie d'ajuster le mien, de tout ce qui rend rêveuse et idiote et pleine de vide.

* * *

Comment rester près de Jeanne ? Il faudrait me refaire, d'un seul coup d'éclat, pour qu'on se mette à me voir. Mon corps ? Impossible. Mon visage, pas plus. Aucun maquillage n'aura raison de mes grosses lunettes et je suis trop jeune, dit ma mère, pour les verres de contact. Restent les cheveux. Les hommes préfèrent les blondes. *Blondes have more fun.* Je pense à la blonde des shampooing Breck, aux cheveux de lumière liquide. Je serai comme elle, bientôt. La belle apprivoise bien la bête, Cendrillon se rend au bal. Contre toute attente, le vilain petit canard se mue en cygne. J'y arriverai, moi aussi.

Je ne prends pas rendez-vous tout de suite. J'attends, pour aiguiser l'espoir. J'amasse de l'argent ; les livres attendront. Je rêve. Je me prépare à être belle. J'entends la voix de ma mère : il suffit de vouloir. Je veux, je veux, je veux, je veux. Je ne dis rien à personne, pour leur faire la surprise.

La veille des élections générales, après l'école, je sens le moment venu. Le salon de coiffure est grand, couleur de vieux rose, tout en miroirs aux cadres dorés et en moulures à l'ancienne. J'avance en tremblant et on m'attribue une coiffeuse blonde, aux tresses lourdes, du genre que les hommes préfèrent justement. Elle me balaie d'un petit air dédaigneux. On fait quoi ? Je ne sais pas lui expliquer que je voudrais devenir une autre. J'attends d'elle ce miracle, rien de moins. Je murmure des mots sans suite. Elle dit savoir ce qu'il me faut. La couleur, ensuite la coupe. Je m'abandonne à elle.

Aux mains d'abord d'une grande brune je me laisse appliquer une pâte qui sent mauvais. J'attends, on rince, puis la blonde me tend une grande cape en plastique noir qui me serre le cou. Les mèches tombent, tombent. Je ferme les yeux.

$$* \quad * \quad *$$

Elle pose le séchoir et m'enveloppe de son sourire professionnel. Regardez, vous êtes formidable comme ça.

Un coup d'œil et je vois : il ne suffit pas de vouloir. J'ai les cheveux courts au lieu de les avoir longs, voilà tout. La nouvelle couleur est trop claire, trop crue. Ridicule. Il faudrait de l'éclat pour la porter. Dans le miroir, le même visage, livré aux regards au lieu de s'abriter derrière le mince voile des cheveux, le même air apeuré, vaincu d'avance. La peau incolore, les traits brouillés. Rien, personne. Comment ai-je pu y croire ? J'entends déjà ricaner ma mère, ma sœur. « Rien à faire avec elle, rien à faire. »

Je tends l'argent et me sauve. Devant chez elle, Jeanne joue au football avec ses frères. En vieux jean délavé et grande chemise d'homme, dépeignée, essoufflée, elle est encore parfaite. Je l'aime, je voudrais la tuer, je voudrais la prendre dans mes bras et l'embrasser toute ma vie. M'effacer, devenir elle. Disparaître.

Ses frères s'éclipsent. Elle regarde, étonnée, ma nouvelle tête. Et puis elle sourit, la future Reine de l'école, et elle dit : « C'est beau, j'aime ça, tu es belle, tu sais ? » Elle me prend les mains et me fait pivoter, elle dit : tous les garçons vont être fous de toi.

Elle ment, je le sais. Et son mensonge a la douceur brûlante de tout vrai amour, la vérité souveraine de toute fiction véritable, et, pendant un instant de fulgurance qui est le cadeau de Jeanne à moi, j'arrive – presque – à la croire. Habiter ce mensonge encore un moment, en faire ma demeure, ma vie. Temps suspendu, il n'y a plus d'école, de garçons, de mère, que Jeanne et moi sur la pelouse de clair automne, l'éclat des feuilles, l'odeur des pommes, l'haleine chaude de Jeanne qui me caresse la joue, ses mains dans les miennes. Elle la comète, moi le trou noir, elle me donne tout, sa lumière et sa force tranquille, et ce n'est vraiment pas de sa faute si jamais on ne m'en donnera assez. Personne ne peut remplir le vide en moi, le vide qui est moi. Je le sens au moment même où je tournoie avec Jeanne sur la pelouse, nos mains entrelacées, où je rêve de me fondre en elle. Personne ne me comblera jamais : je suis une porte grande ouverte sur le besoin et le silence, je suis un écho, un trou, un graffiti de désespoir sur un mur bouché. Je suis un gouffre.

On n'en finit jamais, jamais, d'avoir quinze ans.

Le plaisir de la gifle

L a petite ville s'étendait, sans relief ni horizon, le long d'une route secondaire. Michèle méprisait cette ville au ciel bas, se méprisait elle-même d'y être née. Elle avait dix-neuf ans, les livres lui tenaient lieu d'oxygène, elle étudiait à l'université locale, faute de mieux, en attendant de prendre le large.

Les hommes de sa famille étaient pour elle un mystère. Le hockey, le bricolage, les moteurs à monter et à démonter meublaient leur temps et leur conversation. Volubiles entre eux, ils se renfrognaient à l'approche des femmes. Que ressentaient son père, ses frères ? Impossible à imaginer. Elle avait vu son père pleurer une fois, il y a très longtemps, le jour où il avait été renvoyé de l'usine. Lorsque Michèle était rentrée de l'école, ses parents étaient assis côte à côte, à la table de la cuisine, figés, tels des enfants égarés. Son père s'était aussitôt couvert le visage des mains, si bien que Michèle, congédiée par sa mère d'un unique geste sec, majestueux, n'avait rien vu. Barricadée dans sa chambre du sous-sol, elle s'était vainement bouché les oreilles contre les sanglots rauques, rageurs, qui secouaient le corps de son père. Les hommes ne savent pas pleurer, les larmes les brûlent au lieu de les soulager. Le lendemain pourtant, son père avait retrouvé son air de tous les jours, un rien plus sauvage peut-être, la bouche plus amère. Peu après, il ouvrit le petit garage où allait travailler aussi le fils aîné, le second préférant, lui, vendre des autos d'occasion. Dans la prospérité, les trois hommes se firent opaques, blindés. Même leur colère se passait de mots ou presque, s'exprimait dans quelques jurons, un verre renversé, une porte claquée, puis une longue bouderie qui se confondait à la fin au mutisme habituel. Un homme est un homme, après tout. Les livres et les études, les larmes et les sentiments et les mots qui servent à les saisir : dentelles, fioritures, histoires de bonnes femmes. Le jour où Michèle choisit l'université, et les études de lettres, le regard de son père et de ses frères se détourna d'elle une dernière fois, définitive.

La mère de Michèle dévorait des chocolats et du chagrin, bouche sucrée et yeux embués devant les malheurs des héroïnes. Elle lisait machinalement, à rythme égal, comme on tricote, oubliant tout à mesure. Elle sanglotait parfois en regardant les belles histoires de la télé, et les hommes se moquaient d'elle ou s'emportaient selon les jours et les humeurs. Michèle ne pleurait que seule, dans sa chambre, de découragement ou d'impatience. À sa famille elle opposait un visage sec, buté, où se lisait un mépris tenace. Pas la peine de m'expliquer avec vous, disait ce visage, j'irai mon chemin, toute seule. Sa mère pleurait la perte de son unique alliée, son père la giflait, elle opposait à tout la même résistance muette, la même certitude de partir bientôt, malgré eux. Personne ne pourrait la retenir, seulement la vie, peut-être, si Michèle relâchait une seconde sa vigilance. Son unique peur était celle d'être engloutie par la petite ville, comme tant d'autres qui, malgré toute leur volonté, n'étaient pas partis. Cette ville était sa tache de naissance, sa plaie. Elle craignait, secrètement, de ne jamais pouvoir s'évader.

Curieusement, la mère approuva le choix des études. Elle avança que Michèle pourrait devenir journaliste à la télé, comme

Judith Jasmin qu'elle avait tant admirée autrefois. Michèle secouait la tête sans plus, le journalisme lui paraissait étriqué, trop engoncé dans la réalité pour toucher le vrai. Entre les deux femmes s'était déjà installée une distance, que la mère niait parfois en criant : pour qui te prends-tu ? t'es pas mieux que les autres. Michèle écoutait à peine, sûre de ne ressembler à personne.

* * *

Elle avait noué une relation, légère, joyeuse, passagère et sans états d'âme, avec un étudiant en comptabilité rencontré à la bibliothèque. Elle aimait son corps lisse et dur, qu'avaient raffermi la natation et le tennis (elle-même n'aimait que la marche, ou se disait qu'elle l'aurait aimée, s'il y avait eu, dans la petite ville, quoi que ce soit à voir), aimait leurs jeux mi-violents, mi-tendres dans le lit étroit, aux draps toujours froissés, de Louis. Elle avait découvert très tôt que les mots qui pour elle rayonnaient d'un halo de beauté débordant de très loin leur sens, comme la lumière déborde sa source – « Europe », « poésie », « départ » – ne suscitaient, en Louis, aucun écho. D'instinct, il avait choisi les chiffres, moins pour eux-mêmes que comme gage de son ascension prochaine vers la fortune. Les désirs de Michèle étaient vastes et flous ; ceux de Louis, vastes et précis. Son auto, ses accessoires de bureau, ses loisirs futurs et jusqu'à la forme de sa demeure, il les avait déjà choisis, dans un catalogue imaginaire où se déployaient tous les signes d'un faste discret mais précis, réglé, quasi mécanique.

La littérature, elle le devinait confusément – car ils parlaient rarement de leurs études –, était pour lui le pendant savant de la décoration intérieure ou de l'art floral, le propre de la femme cultivée et sans ambition personnelle qui serait un jour la sienne : Michèle ou une autre, peu importe, car il tenait surtout à trouver réunis une surface lisse et polie, un goût sûr, un tempérament sans aspérités, un rire facile. Lui-même ami de la bonne entente, il avait horreur des scènes et n'avait jamais quitté personne. On devinait combien il serait facile pour une femme enjouée, patiente et un rien calculatrice de se l'attacher à jamais, par les forces réunies de l'inertie et de la bonté naturelle.

Michèle, elle, ne songeait pas à l'enchaîner. Elle avalait fidèlement, chaque matin, sa pilule anticonceptionnelle, comme elle avalait les mots des professeurs : doués ou non, tous lui donnaient des armes, l'éloignaient déjà en pensée de la petite ville. De toutes ses forces elle tendait vers une chambre blanche, débordant de livres et de lumière, vers les villes-poèmes, vers un avenir immense, inévitable, comme toute littérature authentique. Elle croyait encore qu'il est possible d'*écrire* sa vie, sans ratures ni bavures.

*   *   *

L'automne de la deuxième année des études de Michèle, arriva, de Paris, un professeur invité. Son séminaire, coiffé d'un titre dont l'aridité avait tout de suite attiré Michèle, était peu couru.

Massif, désinvolte, le professeur habitait pleinement son grand corps, que prolongeaient encore ses gestes débordants, son incapacité de tenir en place. Il avait les cheveux blancs autour d'un visage demeuré presque jeune, et les yeux plissés. « À force de lire, dit-il un jour en riant, j'ai sacrifié la beauté à la sagesse. »

Il enfilait des mots prestigieux dont Michèle ne saisissait le sens qu'à moitié, et qui, dans sa bouche, nimbés de lumière, intimes, caressants, la clouaient sur place. Il connaissait par cœur des livres dont le premier paragraphe la paralysait de découragement et d'un ennui inavouable. Et pourtant, elle avait toujours tout compris avant les autres, dans une joie instinctive, teintée d'orgueil. Elle vit se profiler l'ombre de ses propres limites, que la médiocrité de son milieu lui avait jusque-là cachées. Tant pis, elle les repousserait, grâce à lui et à ses livres et à ses mots lumineux. Elle l'écoutait dans un songe, une transe heureuse, les yeux rivés sur lui, la bouche très légèrement entrouverte. Tous les hommes rêvent sans doute d'être regardés ainsi, par une très jeune femme éprise de distance et de paroles sonnantes.

*   *   *

Chaque automne, l'espace de quelques jours, un festival de cinéma transformait la petite ville. Michèle abandonnait alors l'université et, du matin au soir, vivait noyée d'images, suspendue dans une noirceur vacillante, lumineuse. À la sortie, elle marchait, légèrement titubante, oublieuse un instant des rues trop familières.

Au second film, elle se trouva, dans la file, aux côtés du professeur. Dans la salle, tout naturellement, il s'installa à ses côtés. Elle sentait sa présence dans la pénombre, la qualité de son regard, tout son être attentif, tendu comme elle, livré aux images. Aussitôt, ils prirent l'habitude de se donner rendez-vous pour le prochain film, et, après, d'en débattre dans un petit café où il évoquait les Truffaut, Wenders, Kurosawa, lui rappelait les classiques dont la plupart n'étaient, pour elle, que des noms magiques teintés d'une nostalgie du futur.

C'est ainsi que, au fil des jours, de « monsieur », il devint « Philippe », tandis qu'ils maintenaient, entre eux, le vouvoiement suave qui semblait à Michèle l'équivalent verbal de la caresse. Dans les cours, elle eut de plus en plus l'impression qu'il s'adressait à elle, à elle seule.

*   *   *

Le festival terminé, ils gardèrent l'habitude des rencontres. Un matin, tôt, elle le croisa à l'université.

– Venez avec moi, je vous enlève.

– Mais j'ai un cours.

– Vous le sécherez, ça vous fera du bien. Vous êtes trop sage, ma petite, venez.

Ils roulèrent longtemps, jusqu'à la grande ville qui se trouvait à quelques heures de route. Dans un petit bistrot bruyant au comptoir de zinc, il lui offrit des moules et beaucoup de vin blanc. On dirait un peu l'Europe ici, lui dit-il, sauf que là-bas, tout va dix fois plus vite. Les gens sont plus volubiles, plus agités, ils discutent, ils râlent, ils courent sans arrêt. Ici vous êtes tous vaguement endormis, je trouve ça charmant, ça repose.

Il lui raconta, un peu (car le récit était long, dit-il), sa vie. Elle qui avait la biographie si brève, si navrante – elle est née, elle a toujours habité ici – s'enchanta de tant de fluidité, de tant de frontières traversées et de langues qui s'entrechoquaient. Athènes la ville claire, maintenant si polluée, îles perdues des grands-mères adorées, dureté bleue du ciel de métal, vignes en vrille, parfums de citron et d'aneth sauvage, femmes en noir immobiles devant les maisons blanchies à la chaux. Puis Prague, Londres, Paris, le tilleul du jardin du Luxembourg à l'ombre duquel j'ai découvert Freud, Mallarmé, Lacan. J'errais jour et nuit dans les rues de Paris, les prostituées m'aimaient bien, elles m'appelaient le savant, parce que j'étais toujours chargé de livres. Je leur faisais de petits cadeaux, c'étaient des copines, elles m'expliquaient la vie.

86

Devant la moue étonnée de Michèle il dit :

– Tous des puritains, ici. Vous n'arrêtez pas de parler de l'égalité des sexes. C'est une illusion et puis, ça tue le désir. Il y a tant de choses que vous ignorez...

Elle le regardait, sans frémir.

– Vous ignorez, par exemple, le plaisir de la gifle.

Sa main glissa très lentement le long de la joue de Michèle, la frôlant à peine. Elle frissonna, détourna la tête.

*   *   *

Les petites villes étant ce qu'elles sont, elle croisait souvent Philippe en promenade avec sa femme. Toute petite à ses côtés, carrée, elle portait un chignon toujours sur le point de se défaire, de gros souliers et des robes paysannes, mais son regard était vif et aucun geste de son mari ne lui échappait. En sa présence il semblait moins grand. Ses mouvements se faisaient plus compassés, il saluait Michèle d'un regard si bref qu'elle se demandait s'il l'avait même vue. Il y avait très longtemps qu'ils étaient mariés, on le voyait au premier coup d'œil. Le mot « laisse » vint à l'esprit de Michèle. Elle le promène en laisse. Dès qu'il était seul, il redevenait l'homme des paroles et des villes. Dans toutes ses anecdotes il était seul, entier, de cette solitude souveraine des plus forts à laquelle aspirait confusément Michèle.

*   *   *

– Je suis certain que vous écrivez, non ?

Bien sûr qu'elle écrivait, même si elle n'avait osé en parler. La fois suivante, à sa demande, elle lui apporta ses poèmes. Il reçut la liasse de papiers cérémonieusement, comme un cadeau royal, lui proposa une autre rencontre, le lendemain, pour en parler.

Elle dormit mal, se réveilla fiévreuse. Les textes, donnés à lire pour la première fois, lui semblaient hésitants, faibles, aussi brouillons qu'elle-même. Il allait rire ou, pis, tenter de la ménager.

Au café elle s'attendait à ce qu'il s'installe en face d'elle, mais non, il se glissa sur la banquette à ses côtés. « J'ai tout lu, dit-il, et deux fois plutôt qu'une. » Il lui parla de chaleur, de fragilité, d'une sensibilité exceptionnelle. « Il y a beaucoup de colère, dit-il, mais aussi quelque chose de tout à fait féminin, ravissant. » Elle ne retint pas toutes ses paroles, seulement l'incandescence qui les enveloppait elle et lui, un brouillard de mots dans lequel il lui semblait, curieusement, voir clair comme jamais.

Il laissa entendre qu'il pourrait l'épauler, la guider, lui présenter des éditeurs. Dans la tête de Michèle l'échéance tant convoitée se rapprochait, les portes s'ouvraient. Paris demeurait un rêve tout en devenant un espace habitable. Il y a des gens qui vont, qui viennent ; à côtoyer cet homme errant, elle saurait entrer dans leur fraternité légère.

* * *

Un soir, elle fut invitée chez Philippe et Mélina, cette femme qu'elle avait croisée et épiée sans jamais lui parler. Comment Mélina avait-elle deviné, aux saluts si brefs qu'adressait Philippe à Michèle dans la rue, qu'il y avait là, peut-être, matière à surveillance ? Pourtant elle fut douce, caressante même, envers Michèle, admira la petite robe noire revêtue après de longues hésitations, lui expliqua les saveurs pour elle nouvelles et exquises – *skordalia*, aubergines grillées, poulet au citron et aux olives –, lui posa des questions sans sous-entendus, bref l'enveloppa d'une tendresse rayonnante qu'elle prodiguait,

Michèle le devinait, à tous ceux qui se trouvaient sous son toit. Après le repas, elle jeta sur ses épaules un châle bleu vif et or qui faisait ressortir ses yeux demeurés très jeunes, d'une clarté troublante, et alluma dans la cheminée un feu qui les rapprocha encore tous les trois. L'appartement pourtant prêté semblait leur, entièrement, grâce à cette femme qui, sans s'imposer, remplissait l'espace de sa présence, à la manière d'une fleur, d'un parfum. Michèle l'imagina qui cuisinait en chantonnant, occupée à rehausser, chaque jour, la saveur du monde. Elle se rappela l'ordinaire de ses parents – pommes de terre, viandes rôties ou bouillies à peine salées – qui ne variait jamais, et qu'on avalait rapidement et sans y penser, pour survivre.

Philippe se fit plus jovial, plus paternel que d'habitude, plus dégagé, et Michèle crut saisir ce qui l'attachait à cette femme : complicité des langues et des pays partagés, harmonie des saveurs et des couleurs, mélange de douce habitude et de ravissement devant son intelligence pratique, ses mains agiles qui pétrissaient le pain ou versaient de très haut le thé brûlant dans les tasses bleu vif, et jusqu'à sa jalousie qui était le signe ultime d'une fine attention amoureuse. Michèle se demanda si elle connaîtrait un jour un tel repos, se dit en tout cas que ce ne serait pas avec Louis qui déjà, sous ses yeux, y compris aux moments où ils faisaient encore l'amour avec abandon, se transformait malgré lui, malgré elle, en souvenir.

* * *

Une autre fois, il lui parla d'*Histoire d'O*, d'enlèvement et de silence, d'une douleur qui brûle et fait jouir, d'un amour si entier qu'il consume la belle élue, celle qui vit et meurt de s'y laisser couler. Il ne s'agit pas de pouvoir mais de passion, dit-il, et les féministes n'ont rien compris. On ne peut rien contre la différence des sexes, contre le don, le désir.

S'agissait-il de vie ou de littérature ? Michèle, qui n'avait pas lu le roman, se sentit mal à l'aise et ne sut pas le dire. Elle regarda les fortes mains carrées de Philippe, si semblables à celles de son père, qui encerclaient la petite tasse de café. Il en posa une sur les deux mains de Michèle, jointes sur la table. Elle eut un vague sourire mais ne ressentit rien. Ce n'est pas le contact des corps qu'elle voulait de lui.

*   *   *

Puis un jour, après le cours et sans transition, il l'entraîna dans son bureau, ferma la porte, l'attira vers lui et lui saisit les seins en même temps qu'il l'embrassa avec violence. À son mouvement de recul, il leva les sourcils : tu ne t'es pas vue me regarder dans le cours ? Un tel regard est une provocation !

D'instinct, elle chercha la porte. Il la laissa se dégager sans s'éloigner d'elle. « Où vas-tu comme ça ? »

Le tutoiement lui parut plus brutal encore que la caresse, à la fois maladroite et savante, qui l'avait accompagné et qu'elle avait plus facilement esquivée.

– C'est bon de laisser monter le désir, ma petite, mais enfin, il faut y venir un jour !

Elle n'arrivait pas à lui dire qu'il ne l'attirait pas. Jamais ces mots n'avaient su passer ses lèvres. Elle balbutia : je n'aime pas les hommes mariés, et puis, j'ai un copain...

– Tout le monde est marié, ma chérie, tout le monde a un copain ! Qu'est-ce que ça peut foutre ? Non, mais quelle naïveté tout de même, ces petites filles !

Il la saisit de nouveau. Elle se dégagea, murmura des excuses, évoqua confusément l'amitié. D'un seul regard il lui fit comprendre qu'elle s'était trompée d'adresse. Pas d'amitié possible entre les hommes et les femmes, lui avait-il dit un jour au café, elle s'en souvint tout à coup ; tôt ou tard le désir s'en mêle. « Au fond, c'est ici ta vraie place. À Paris, on n'aime pas les petites pimbêches. » Il se redressa, se lissa les cheveux, ouvrit la porte du bureau et la congédia d'un geste. « Tu m'auras beaucoup déçu. »

L'Europe s'éloignait à mesure que son regard se durcissait. Un rêve de rues anciennes, de marronniers en fleurs, de beauté et de fin papier blanc. L'Europe rapetissait et s'éloignait, l'avenir se fermait comme un parapluie, et dans la confusion des corps et des injures elle avait perdu, un instant, les mots qui ouvrent tous les horizons.

Sauf moi

Toutes les femmes de la ville sont enceintes sauf moi. Moi j'attends, je me ronge les sangs, je les mange des yeux. Leur ventre brandi me fascine, un étendard, un défi. Poses de madone, regard tourné vers l'intérieur, l'intime des chairs confondues. Elles me narguent, elles me brisent. Même Danielle, ma meilleure amie, sept mois déjà. Pourquoi elle, et pas moi ? Mince et plate, enveloppe vide, j'attends.

David dit que je pense trop, je n'ose pas lui dire à quoi. Il sait seulement que je broie du noir : je ne mange plus, je passe mes journées à la fenêtre. Je ne touche pas à ma thèse. Devant le reflet blanchi d'un arbre dans la grande table de verre du salon, mon regard s'hypnotise et se perd. David ne comprend pas que je laisse couler ainsi les heures, vides. Monsieur Vendeur-de-l'année convoite un quatrième titre, chaque seconde est comptée, chaque geste pesé. Il dit : dynamique, performant. Je pèse bien ses mots, ils ne me vont pas. Oui. Non. J'essaie, parfois. Il suffit de vouloir, dit David. Tu ne fais aucun effort.

Un petit effort, allons. À tout hasard je prends un livre dans la pile qui m'attend. Le temps de saisir « épuiser la problématique ontologique » et les lettres se dissolvent sous mes yeux. Aussitôt David sorti de la pièce, je dessine des visages de femmes, longues chevelures qui se métamorphosent en oiseaux. Je dessine des cercles, des spirales, des courbes s'ouvrant sur l'infini. Des jardins et des coquillages. Des vagues.

Toutes, sauf moi. David n'a rien compris : je ne broie pas du noir, je broie du rouge. Rouge furie, rouge rupture. Le ventre de Danielle durcit et se tend, l'enfant flotte en elle, tendrement, en rêve. Depuis trois semaines j'ai cessé d'aller aux cours. Pas brillant, ça, dit David. Il a raison, tant pis. Plus capable de voir les autres faire du zèle, sortir tout un tremblement de cils et d'érudition pour ces vieux beaux lubriques. Moi j'ai fini de jouer à la jeune surdouée, quémandant les charges de cours et les lettres de recommandation. Plus capable, messieurs, vraiment plus capable. David dit : à quoi bon te tourmenter comme ça ? Trop d'imagination, ma chérie, tu vois le mal partout.

Mon pauvre David, si tu savais : l'imagination n'y est pour rien. Que la mémoire, mon amour, la mémoire. Quand je ferme les yeux, les mêmes images me remontent toujours à la gorge. Le souvenir me submerge, rouge et noir derrière les paupières closes.

En cours de biologie, au secondaire, il fallait disséquer un rat. Rumeurs dans la salle de classe, on les distribue, immenses, intacts, la fourrure tachetée, de longues dents jaunes. L'eau à la bouche, le professeur expose la méthode. Il goûte notre répugnance et le plaisir sourd qui naît ici et là, dans la lourde chaleur de septembre. Il sait qu'à ouvrir, à défoncer, certains s'enivreront. Le secret des tripes, le ventre fendu d'un seul coup de lame. La mort déborde, crac, ils la prennent à pleines mains. Ma main à moi s'approche du couteau, puis retombe. La mort va me mordre, maman, je ne veux pas, je ne veux pas. Sans m'en rendre compte je me mets à hurler de toutes mes forces.

Ils ont dû m'emmener. Le lendemain matin ma mère convainquait le directeur qu'il fallait en finir. Hypersensible, ma fille, toute la nuit des cauchemars affreux. Le directeur souriait, complaisant, ma faiblesse le ravissait. Un cours de dactylo peut-être, tellement plus pratique que la biologie. Ma mère lui a tendu la main, sourires. Le regard du directeur disait : félicitations madame, les vraies jeunes filles se font rares. S'il me voyait maintenant, mes cheveux défaits, mes yeux cernés. Mon ventre vide.

Danielle me parle doucement, avec les égards qu'on réserve aux grands malades. Pourquoi tu ne viens plus au cours ? Dis-moi ce que tu as, au moins, je veux t'aider. Rien, je dis, rien. Et toi, ça va ? Elle mange à belles dents une demi-douzaine de truffes au chocolat, puis, la main sur la bouche, elle avoue qu'elle a beaucoup engraissé, trop, elle doit faire attention. Me trouves-tu grosse, toi ? Un peu plus, je la mettrais en pièces. Puis son sourire me désarme, sa main douce sur mon bras. Elle n'a rien vu, rien. Ravale la rage, étouffe l'envie ; ma voix est trop calme, monocorde. Je te trouve superbe, Danielle. Parfaite. Pour une fois que je dis la vérité, ça soulage un peu.

Mais pourquoi pas moi ? Plus de pilule depuis presque un an, et toujours rien. Un jour, pourtant, il n'y aura plus de sang. J'espère que David se fera à l'idée. Il n'en veut pas des nuits déchirées par les cris, des petits doigts qui gâchent la belle peinture mate. Toi et moi, ma chérie, la grande vie. Étudiante, j'aspirais moi aussi au luxe. Lui seul me guérirait de l'enfance, petite misère, fins de mois hagardes, mes parents à la table de la cuisine chuchotent « on n'arrivera pas ». On ira loin, disait David ; je voulais être loin, j'ai suivi. Il a tenu ses promesses jusqu'au bout. Déjà on loue une maison comme celle qu'on possédera bientôt, on a une Mercedes de l'année, une salle de bains plus grande que la chambre à coucher de mes parents. Alors qu'est-ce qui cloche ? Moi, pour peu qu'on gratte la surface. David ne gratte jamais, jamais. Il a pris du poids et de l'assurance, s'est composé un visage dynamique, faussement ouvert, un visage de fonceur. Au réveil, les premières secondes, j'ai du mal à le reconnaître.

Les jours passent, je suis toujours à la fenêtre. Pourquoi moi ? Dix-huit ans, j'arrive à l'université, la première de l'histoire de ma famille. Les bras chargés de livres, je crois dur comme fer que je suis libre déjà. Finie l'usine, finie la grisaille. Pure ivresse du cerveau et du corps. Un garçon de ma classe de philo me plaît, bientôt nous passons toutes nos nuits ensemble. J'étudie avec fièvre, malgré les crampes qui me déchirent le ventre. Mine de rien mon stérilet s'est déplacé, il me plie en deux de douleur, sans me protéger. J'avais tout prévu sauf ça. Un mois, deux mois, presque trois, la session achève. L'enfant me pèse sur le cœur. Cellules aveugles qui prolifèrent, s'accrochent et me violent. Je suis une cage d'enfant. Sa voix se lamente par ma bouche, son poids m'épuise, à croire que je le porte déjà depuis dix ans. Me voilà dans de beaux draps, de sales draps rêches, je sombre. Puisque je vous dis que je n'avais pas le choix. Pas le choix, répète l'infirmière de la clinique universitaire. Ils m'ont hospitalisée, anesthésiée, ils ont aspiré mon bébé, je n'ai rien vu.

Et le médecin de la clinique, le docteur Douleur : couchez-vous là, ouvrez les jambes. Rien qu'à cause de la prise de sang j'ai eu le bras bleu pendant quinze jours. Salle commune, infirmières pressées et, à mes côtés, une femme de trente-cinq ans qui a fait une fausse couche. Elle se lamente doucement, tout le jour, très bas.

David ne le sait pas, bien sûr. Personne n'est au courant, ni Danielle, ni ma mère. Seulement le garçon du cours de philo, que je ne voyais déjà plus. Ne restait que le sang qui coulait : un mois, deux mois, des caillots gros comme une clémentine, comme un poing de bébé. Je saigne mon cœur, tous mes bébés à venir. J'ai revu cet homme par hasard, il n'y a pas si long-temps. Il tenait par la main une petite fille de cinq ans, longues tresses, cours de ballet, je l'aurais étranglé. Quand je me suis plainte du sang, le docteur Douleur a dit : vous courez après, vous les jeunes, toujours si pressées de coucher. Je voudrais bien vous revoir, docteur Douleur, on aurait des comptes à régler. J'ai abandonné tous les cours, m'y suis reprise un an plus tard, sans ivresse cette fois. Et puis David est arrivé, David qui parlait d'aller loin, et bientôt les noces, et le voyage à Venise. Au retour il se démène, je végète. La maîtrise, encore une idée à lui. J'y ai presque cru, un moment, et puis j'ai commencé à attendre devant la fenêtre, tout le jour.

Arrêter d'y penser, je sais bien, passer l'éponge, passer à autre chose. Changer d'idées, comme on dit. Le bébé viendra peut-être, qui sait ? Malgré le sang, malgré le temps.

Rouge sang et rose layette, je suis sûre que c'était une fille. Ce sera une fille. À voix très basse je murmure ses noms : Marie, Ève, Pandore. Elle aura tous les dons, toutes les chances. Je ne finirai jamais ma thèse, je ne suis pas faite pour l'université, ni pour autre chose d'ailleurs. Les jours raccourcissent, je reste à la fenêtre. Les jeux des enfants convergent tous vers la violence. Je les regarde s'entre-détruire.

En rêve je cours dans Venise, la nuit tombée. Au loin, un bébé pleure à pleins poumons, je dois arriver à temps, moi seule peux le sauver. Des rues inconnues, des ruelles et des rues et des rues encore s'ouvrent devant moi, des ponts, des canaux, mon souffle m'assourdit, je cours. Le voilà enfin, berceau fermé, décoré de rubans jaunes, qui gît au centre d'une place déserte. Alors, de très haut et de très loin, je les vois tous qui s'enfuient, dans le désordre, grisâtres, immenses, intacts. Je comprends, dans le silence : l'enfant a cessé de respirer.

La grâce de Dieu, sa main

Lorsque Marie vivait encore dans l'émerveillement de la grande ville, elle marchait tout le jour, rentrait épuisée de soleil et de bruit. Dans sa petite chambre d'étudiante, le soir, elle fermait les yeux, laissait déferler les images. Le matin elle repartait, et devant elle la ville s'ouvrait, dense, pressante, vaste et sacrée.

Le village natal de Marie comptait deux rues dans un sens et trois dans l'autre. Un dépanneur, une épicerie, une caisse populaire, un salon de quilles. Un comptoir postal, une belle église et une mauvaise école. Dès que les garçons atteignaient quatorze ans, on les servait à la taverne. À seize ans, ils passaient le permis de conduire et allaient boire leur ennui plus loin. Seule une attention de tous les instants avait permis à Marie l'évasion : les prix, les meilleures notes toujours, toujours. Les mots l'avaient sauvée, tant de pages noircies pour se montrer la plus brillante, puis les formulaires à remplir, des mots et encore des mots, un échange de lettres et l'offre d'une bourse, et un jour de fin d'été elle fut enfin libre de se promener dans la grande ville, du matin jusqu'à la nuit tombée.

Visages connus, airs connus, au village personne n'étonnerait jamais personne. Et puis les rumeurs, les cancans, la voiture de Jean garée toute la nuit devant chez Louise, la petite Michelle dont on disait que son père l'aimait trop. Les chuchotements, les regards en coin. On leur appartenait, notre histoire leur appartenait. Dans la grande ville Marie marchait lisse et inconnue, sans histoire. Elle prit plaisir à se savoir sans nom pour tous ces gens, une passante dans la ville, dans un restaurant où elle lisait à une petite table de coin, dans la file devant un cinéma, dans un autobus bondé. Ville-Babel, babil des langues du monde dont Marie épousait, ravie, l'incompréhensible musique.

Et les pharmacies et les cafés, les théâtres et les grands magasins, et les taxis, la vitesse, et les lumières, les lumières, forme et couleur et bruit et mouvement, Marie avait adhéré à la grande ville, se laissait dévorer par elle. Elle marchait, éblouie. Même les embouteillages qui paralysaient les heures traduisaient pour elle une exubérance vitale. Elle s'égarait avec délices, elle marchait les yeux levés, comptait les étages des tours qui se perdaient sous le soleil droit.

Jamais elle ne manquait un seul cours, fébrile et silencieuse, offerte. Ses cahiers se remplissaient de paroles, sa chambre de livres. Et puis elle repartait, lire, écrire, ou marcher. Toutes les portes étaient ouvertes, les musées et les bibliothèques, l'université du centre-ville et l'université de la montagne, et le soir les églises anciennes se remplissaient de musique, et des acteurs donnaient corps et voix à des rêves d'écrivain. Marie y était, ou elle aurait pu y être, il lui suffisait de savoir qu'à côté vivaient et respiraient des inconnus pour être tout à fait heureuse.

*   *   *

Chaque matin, les yeux à peine ouverts, Marie se mettait à écouter la ville et apprenait à se confondre avec elle.

En pleine canicule, elle vit un homme vêtu d'un ensemble flottant en soie turquoise et écarlate, monté sur des échasses, et qui jouait, au saxophone, « La vie en rose ».

Immobilisée devant la cathédrale, un jour de fine pluie tenace, elle eut le cœur saisi. Une rafale de cloches invisibles résonna sans fin et l'enveloppa dans une harmonie immense, primitive et circulaire. « Tiens, se dit-elle, le paradis terrestre. » Un clochard qui passait à côté d'elle tomba à genoux, joignit les mains, baissa la tête. Après un moment il se releva, ramassa et jeta une poignée de papiers salis qui traînaient au sol, puis reprit, sans un mot, sa lente errance.

La ville était une cloche, un clochard, un soupir, un poing fermé, une boîte à surprises, une plaie, un chat tigré s'étirant longuement dans son rond sommeil d'animal.

*   *   *

Puis un jour la grande ville prit pour Marie un unique et déchirant visage. À un lancement tenu à l'université, elle rencontra un poète. Elle n'avait jamais fait de lien entre les livres et la main qui les produit, supposé qu'on puisse un jour connaître un écrivain. Chez ses parents il n'y avait pas eu de livres, sinon de rares best-sellers, ou quelques romans d'amour, de loin en loin. Elle regarda le poète avec tant d'insistance qu'il finit par le remarquer. Le poète était né dans la grande ville, ses livres la chantaient, il aimait le regard des très jeunes femmes. Il invita Marie à prendre un verre chez lui.

*   *   *

Au village, quand on se promenait par les soirs d'été, on saluait de la tête les gens assis sur leur perron, on disait « bonsoir ». Dans la grande ville, au début, Marie regardait les gens dans les yeux, souriait, offrait d'aider les perdus. Peu à peu elle apprit la peur, la méfiance. Elle se composa un visage de circonstance, ne regarda plus personne. Démarche rapide et compassée, rythme saccadé des hauts talons coupant les pavés. On se transportait au centre de la foule et on gardait ses secrets.

* * *

Le poète habitait, au dernier étage d'une tour, un vaste studio à peine meublé, largement ouvert sur la ville. À peine arrivée, Marie se précipita vers la fenêtre. Le poète la regardait regarder, séduit et un rien effrayé. Il y avait longtemps qu'il n'avait vu de regard si jeune. Il se rapprocha d'elle et se mit doucement, par derrière, à lui caresser les seins. Devant la ville et la grande fenêtre nue, le poète devint cette nuit-là le premier amant de Marie.

* * *

Le poète habitait loin et il ne répondait jamais au téléphone. À tout hasard, elle prenait le métro et se rendait chez lui. Parfois il lui ouvrait, parfois elle entendait une rumeur derrière la porte close.

* * *

Les stations de métro lui faisaient l'effet de cathédrales renversées, creusées au plus profond de la terre. Ainsi la voix de la femme ne lui sembla pas déplacée.

Elle pouvait avoir quarante ans, ou cinquante, peut-être davantage, et pourtant elle était sans âge, tant elle avait oublié son corps. Son visage était livide et son regard aveugle ; elle portait plusieurs chandails multicolores dont certains étaient troués. Une folle, sans plus, quelques-uns souriaient, la pointaient du doigt. Et sans les voir elle se tenait debout au milieu de la voiture, elle parlait, parlait, d'une voix égale, sans feu. Elle semblait non pas réciter un texte appris par cœur, mais trouver en elle une source de mots intarissable. Elle respirait à peine, et toujours déferlaient les mots, les mots, à vous étourdir, à vous submerger.

Jésus est toujours là, il vous regarde il vous voit, ses yeux sont des feux il brûle les incroyants les menteurs les voleurs il vous brûle il

Presque chaque fois que Marie prenait le métro, cette femme s'y trouvait. Marie comprit enfin qu'elle ne quittait plus les souterrains où elle parlait sans cesse, pour tous, pour personne.

* * *

Elle savait au fond qu'elle n'existait pas vraiment pour lui. Elle était intermittente, aléatoire, tandis que d'autres, une autre, lui étaient peut-être essentielles. Il l'oubliait aussitôt qu'elle avait franchi la porte de son studio, parfois avant. Pourtant une obstination muette la faisait retourner chez lui, la faisait traverser la ville en métro, la faisait attendre des heures devant une porte fermée.

* * *

Et la femme était là, toujours, elle parlait de sa voix égale, une voix de fond, une voix de noyée, le regard lavé, absent.

Jésus c'est le ciel, il vous prend par la main et vous emmène avec lui, merci doux Jésus merci, voyez-vous les garçons là-bas ils mangent des pêches, les arbres sont pleins autant qu'ils en veulent, le ciel est dans le goût des pêches à pleines mains, j'ai hâte d'être au ciel

* * *

Une fois la rame arriva et s'immobilisa sur le quai. Les voyageurs qui se bousculaient virent alors qu'elle était vide, malgré l'heure de pointe. Un enfant étonné posa la main, les cinq doigts écartés, sur une vitre. La rame repartit, les portes bien closes. Personne ne prononça un mot, la foule sur le quai s'épaissit encore davantage.

* * *

Le fleuve et la montagne, la vitesse, et les lumières, les lumières. Mais aussi l'horloge du métro qui affichait 26 h 02, et les rues jonchées de papiers, et les murs tapissés d'affiches déchirées, et les cinémas pornos, les mains tendues au coin des rues, les murmures, les misères qu'on devinait confusément, la folie nue. Les villages aussi ont leurs fous, mais on connaît leur nom, leur famille, on connaît les gestes qui les apaisent. Dans celui de Marie, le fou était un enfant de quarante ans, privé d'oxygène à la naissance, aux cheveux roux déjà grisonnants. Doux et sans mémoire, il pouvait répéter vingt fois par jour aux mêmes personnes, au hasard des rencontres, les mêmes formules toutes faites – bonjour, ça va, il y a longtemps qu'on s'est vus – qu'il proférait avec fierté, et toute réponse, même accordée du bout des lèvres, faisait monter sur son visage un lent sourire. Dans la grande ville la folie puait la rage et la merde et la peur, les vieilles femmes traînaient des sacs et d'incompréhensibles chagrins et les plus jeunes, la main tendue, parlaient d'un enfant malade à soigner. Ici la folie frappait, fonçait, vous crachait au visage. Ici contre la folie on n'était pas armé, on ne pouvait que détourner les yeux, presser le pas, ou encore écouter, subjugué, une voix dans le métro.

La grâce de Dieu, sa main

*   *   *

On riait de l'autre côté de la porte, chez le poète ; des éclats
de voix parvenaient jusqu'à Marie, debout dans le passage, la
main sur la porte. Elle n'osait ni sonner ni partir. Contre l'ennui
étale de son village elle avait trouvé un remède : le départ.
Contre la porte fermée il n'y en avait aucun.

*   *   *

*Dans sa main dans sa main dans sa main tendue, il vous
tient toute la nuit, tout le jour il vous tient et son amour est
tendre, son amour est divin, la grâce de Dieu vous tombe dessus
comme la pluie, sa main*
Marie avait laissé passer son arrêt sans le voir. Les stations
défilaient, elle ne se levait pas. Elle écoutait la femme, et la
voix de la femme la berçait, lui parlait de pêches et de paix
retrouvée, d'une main tendue, d'un amour sans faille. Ensemble,
sans se regarder, elles traversèrent la ville de part en part. Marie
avait cédé au charme de cette voix sans charme, de cette voix,
toujours la même, une voix de folle ou d'ange, qui sait ? la voix
de la grande ville enfin possédée.

IV

La porte du rêve

D ans la grande chambre blanche, la lumière du petit matin isolait une fine mèche des cheveux blonds d'Aline, découpait, à son front, un triangle de peau très claire, à peine ridée. Alain se surprenait souvent ainsi, réveillé le premier, à contempler sa femme endormie. Les courbes tendres du bras, le mystère compact du corps replié sur lui-même, le souffle lent, apaisé, le ravissaient encore, malgré les années, malgré les épreuves.

À la position du soleil derrière les rideaux vert tendre, il devina l'heure, petit jeu quotidien. Six heures et quart ? Vingt-deux, confirma sa montre. Pas mal. Aline soupira, souffla quelques mots. Alain n'était pas du genre à guetter les révélations, si tant est que les révélations surgissent ainsi, de la bouche d'une femme endormie. Au contraire, il caressa aussitôt le haut du dos d'Aline, geste qu'il avait eu tant de fois après l'accident, pour la tirer des cauchemars.

Aline s'étira, bâilla, se tourna vers lui. Avant même d'ouvrir les yeux, elle rayonnait. Elle vit Alain, s'étonna un instant, puis se ressaisit. Son sourire se fit intérieur, plus secret déjà, presque rusé. Pourtant il lui fallait, il le sentit aussitôt, le soulagement de la parole : ainsi sont les ivrognes, et les illuminés, et les nouveaux amoureux.

– Je l'ai vue, Alain.

Elle avait la voix enrouée, encore chargée de sommeil.

– J'ai rêvé à Anne.

Elle se pencha vers Alain, les mains tendues, et son sourire, redevenu franc, enveloppa l'homme.

– Elle avait quatre ou cinq ans, elle portait la petite robe bleue avec les abeilles, tu te souviens, et puis elle...

– Elle t'a parlé ?

– Elle n'a pas eu le temps. Mais elle souriait, Alain, comme lorsqu'on allait la chercher dans son petit lit, le matin, elle tendait les bras...

Le silence d'Alain la frappa soudain.

– Tu ne dis rien ?

– Qu'est-ce qu'on peut ajouter à ça, Aline ?

Une voix d'homme commentant à tue-tête la météo éclata. Ils eurent un sursaut qui les éloigna l'un de l'autre. Alain bondit du lit et courut prendre sa douche, tout contentement évanoui. À quoi bon remuer tout cela qui, à défaut de pouvoir s'oublier, s'était peu à peu apaisé, l'extravagance première du chagrin enfin traversée ? Aline se leva à contrecœur, fit le lit et s'habilla avec des gestes flous, légèrement décrochés des objets. Lorsqu'il partit pour l'hôpital, elle ne leva pas la tête du journal qu'elle fixait sans le voir.

*   *   *

Ils aimaient les voyages, les plaisirs, le mouvement. Ils aimaient aussi, pendant des heures, se tenir enlacés en écoutant de la musique, parlant à peine. La découpe au scalpel des états d'âme, l'exhibition des sentiments, les larmes et les crises, leur inspiraient répugnance, incompréhension et fatigue. Eux-mêmes se comprenaient sans s'expliquer, forme ultime, à leur sens, de la complicité amoureuse. Ainsi, le soir venu, Aline accueillit son mari avec le sourire et proposa de manger au restaurant. Ils choisirent un bistrot à la mode, burent et rirent avec un abandon peut-être un rien forcé, la scène du matin devenue déjà, à son tour, un rêve.

* * *

La chambre est demeurée intacte. On a fermé la porte, condamné l'espace. Derrière, les poupées et les souliers, les crayons de couleur et les livres tant de fois lus, le crocodile et les trois petits cochons, le cerf-volant et la corde à danser. Aline n'y entre plus ; seule la femme de ménage lutte, de loin en loin, contre la douce accumulation de la poussière.

* * *

On ne peut dérober la vérité à qui a besoin de savoir. À défaut d'images, on invente ; puis l'invention se mue en vérité. Aline a tout vu, tout vécu, mille fois et mille fois encore.

Un garçon de dix-sept ans, une vieille Camaro rouge, une jeune fille de bonne famille, qu'attirent les mauvais garçons. Une à une, avec une tendre application, il a fait disparaître les taches de rouille. Il cire la voiture, la caresse, lui chuchote un nom de femme, un nom secret. Elle est à lui, entièrement, et lui à elle. L'école, le travail, son avenir oubliés, il vit la splendeur aveugle du premier amour.

Il accélère, accélère. La réponse du gros moteur le comble. Son corps vibre, son pied s'appesantit. Cent dix, toutes vitres baissées, presque en pleine ville encore. Il plonge la main entre les fines cuisses mi-ouvertes de la jeune fille. Les Rolling Stones à la radio : et le rock est le sexe, et le vent, et la ligne blanche sans fin de la route, et l'éclat noir de la mort appelée et évitée. Cent vingt. Elle dit : attention. Il dit : je sais ce que je fais. Cent trente, vers la sortie de la ville.

111

* * *

Comment aurait-elle envisagé la venue d'un autre enfant ? Une femme comblée ne souhaite pas un second mari. Anne était l'unique, l'élue, la rose des bois. Une longue attente, teintée vers la fin de désespoir, avait fait croire au prodige. À la ressemblance déjà voyante de leurs prénoms, elle avait tenu à intégrer leur fille. Alain, Aline, Anne, ainsi éclatait au jour leur vérité : trois vêtements de même étoffe, trois fleurs de même espèce, entremêlés, presque confondus, chair et sons et sens réunis.

* * *

Plus que tout, Alain aime son métier d'obstétricien. Malgré le savoir et la science, il vit la naissance en mystique : extase, voûte de cathédrale du ventre tendu à craquer, fin et début de communion. Les femmes ne craignent pas l'abîme, la pire douleur de leur vie ; elles s'y jettent, résolues, parfois gaies, solides, entièrement présentes. Rythmes, poussées, sang et eaux, lourde beauté. Même les jurons et les injures lui plaisent, signes d'une vitalité qu'il imagine transmise à l'enfant. Celui-là ne se laissera pas avoir !

Elles pleurent, elles crient « maman », elles ferment les yeux sur une vision tenace. Elles plongent en elles-mêmes, elles traversent. Puis le premier regard posé sur l'être neuf, les mains qui en palpent immédiatement les rondeurs, qui comptent les doigts, et déjà, si souvent, l'amour. Alain a vu aussi l'indifférence de la mère, parfois, son hébétude, ou la colère du père à la vue d'une fille née inopinément, et chaque fois il en a eu le cœur serré et l'impression de voir se dévider, en accéléré, l'écheveau d'un destin de malheur.

Une naissance sans histoire le remplit de délices, tant la nature, Dieu, le corps humain, la femme lui semblent des merveilles liées entre elles et en parfaite harmonie. La musique des sphères, alléluia, un enfant est né. Une venue au monde menacée le force à rivaliser d'astuce avec la mort. Et les rares, très rares catastrophes lui rappellent l'insondable mystère et la dure vertu de l'humilité.

* * *

Que dire à ceux qui demandent, sans savoir : avez-vous des enfants ? Tendre les mains vides, les laisser retomber : j'ai eu, oui, j'ai eu une petite fille.

* * *

Jeune, Alain avait été un homme à femmes, amoureux des corps dont il perçait pourtant à jour les secrets. Puis, plus tard, pour Aline, il avait fait bâtir l'immense maison blanche, tout en fenêtres, en bordure de la ville, y avait fait planter des arbres déjà mûrs, un jardin d'herbes, un jardin d'eau.

Rencontrée chez des amis communs, Aline avait effacé le passé d'un seul coup. Trop de femmes décidées, à l'appétit débordant, qui marchaient trop vite, faisaient l'amour trop goulûment et exigeaient sans cesse de « faire le point », l'avaient fait rêver de fines fleurs blanches à peine parfumées. Il aima le calme sourire d'Aline, son apparente fragilité et son air d'écolière modèle, dentelles blanches et longs cheveux noirs en bandeaux lisses. Un verre d'eau juste assez fraîche, un papillon blanc.

Pour la vie feutrée dont Alain rêva aussitôt pour elle, Aline montra de grandes disponibilités. Elle fit aussitôt le vide, abandonna sans regret son emploi dans une banque, rompit presque avec ses sœurs, trop bruyantes au goût d'Alain, renonça à sortir seule le soir. Si elle avait un amant au moment de leur rencontre, il ne le sut jamais.

Ainsi, d'homme léger, fuyant, Alain était devenu un mari comblé et totalement, presque ridiculement, fidèle. Il avait été comme lavé, baptisé à grande eau dans une rivière de lumière, sans mémoire de celui qu'il avait été. La nouvelle de son mariage fit grand bruit à l'hôpital. N'étant plus poursuivies par lui, les femmes se mirent à le poursuivre. À la fin, elles en firent, entre elles, un jeu. Qui, la première, briserait ses résistances ? Mais il ne s'agissait pas d'un jeu de la tentation, d'un fruit défendu dont on finit par palper, puis mordiller, puis dévorer la chair. Alain était réellement sans désir pour elles toutes, amical et lointain à les plonger dans le désespoir. Elles essayèrent, selon leur tempérament et leur inspiration, la méthode douce ou les grands moyens. Le sachant toujours prêt à consoler, certaines inventèrent des chagrins et firent monter les larmes rares et rondes qui appellent les baisers. Alain compatit, en frère aîné. Il les refusa toutes, les timides comme les effrontées, l'air, pour les épargner, de ne pas voir à quel point elles s'offraient.

*   *   *

Cent vingt, cent trente, le paysage tremble et se brouille, la jeune fille dit « arrête, arrête » mais il est lancé, bandé à craquer, la route défile et il lui semble n'avoir jamais connu bonheur plus dur, plus réel. Quelques pâtés de maison encore, les grandes maisons de la bordure de la ville, puis ils rejoindront l'autoroute. La distance fond, ils sont seuls déjà sur la route blanchie par la lumière et la vitesse, il est jeune et fort, le soleil d'octobre l'éblouit et il voudrait rouler toute la vie comme ça, sans jamais arriver nulle part, la vitesse abolissant le temps, et l'usure, et tout mensonge, et toute entrave.

* * *

Deux jours passèrent, puis, un matin au ciel de plomb, tout recommença. « Je l'ai vue, Alain, elle allait me parler. »

Au retour, ce soir-là, il la trouva au salon, l'album de photos sur les genoux. Une petite fille blonde tient un hochet, une cuillère, une poupée la tête en bas. Ici, elle lit à l'envers un livre de médecine repêché dans la bibliothèque, là elle porte son premier costume d'Halloween, une souris rose et gris. Elle fait du tricycle, du patin, elle perd ses dents de lait, souffle des bougies, montre ses dessins et ses bricolages, un petit sac à dos en forme de coccinelle. Une plage de la Martinique, une promenade en gondole. Soleil, sourires, cérémonies. Et la maladie, et les mauvais coups, et la colère, et les doutes tenaces, et les larmes d'épuisement versées les jours où le bébé affamé réclamait constamment le sein ? Les images mentent, ou du moins dissimulent. Alain dut lutter pour maîtriser l'irritation qui montait en lui. À quoi bon cette contemplation aveugle ? Acide dans la plaie vive, cilice, sombre volupté de la mortification. Comment son Aline pouvait-elle s'y livrer ?

– C'est fini, mon amour, il faut en revenir.

Elle le regarda calmement, longuement, en inconnu.

– Elle m'est rendue, Alain, elle m'appelle. Je ne la lâcherai pas.

* * *

Le plus étrange, pour Aline, avait été de ne plus rien sentir. Avec l'enfant naît la peur. Maintenant la peur était révolue. Le pire avait éclaté d'un coup, scindant le monde en deux à tout jamais : avant, après. Un immense et coupable soulagement se coula en elle à la manière d'une ancre dans la mer : elle avait donc eu raison de craindre.

Elle avait redouté les chutes, les rivières, les inconnus qui guettent, armés d'un urgent désir. Pourtant – comment ? – elle avait manqué de vigilance. Rien, donc, n'avait été vrai. Elle avait été aveuglée par la présence, et maintenant elle voyait qu'il n'y avait rien, nulle part. Mensonge, la naissance ; mensonge, l'amour ; mensonge, les prénoms réunis et leur murmure d'éternité.

La crainte avait été balayée, et avec elle, toute émotion. Même la douleur ne trouvait pas prise sur elle. Elle était creuse, une ombre sur pied, une absence habillée. Mouvement et son avaient cassé net ; un courant avait cessé de la porter. Plus rien, désormais, ne pouvait lui advenir.

Droite, impeccable, elle reçut les invités et les condoléances, prononça les formules de circonstance, trouva des vases pour les fleurs dont on l'inonda. Les yeux secs, elle consola sa mère, ses nièces, les enfants de la classe d'Anne. Elle ne dormit pas ni ne sembla avoir besoin de dormir. Alain la surprenait à la fenêtre, à contempler la rue noire, la nuit sans lune. Sa robe de nuit blanche ondulait sous la brise légère, elle se voyait de très haut, comme à la fin du film de sa propre vie, et s'étonnait sans fin de sa petitesse.

* * *

Désormais les jours se divisent en deux camps : les jours avec Anne, les jours sans Anne. Alain le voit à la mine de sa femme désormais muette, retranchée en elle-même. Elle soigne sa beauté et rêve dans les coins comme une femme qui a un amant, montgolfière tirant sur les cordes qui la retiennent encore – si peu – au sol.

* * *

Avec la grossesse déjà était née la peur. Cette femme dont la calme gaieté avait envoûté Alain se mit à enfiler les catastrophes : et si le bébé avait le cordon autour du cou ? et si son cœur, tout d'un coup, s'arrêtait de battre ? et si on mourait tous les deux à sa naissance ? Ni un accouchement éclair, ni la santé et la bonne humeur inaltérables du bébé, n'eurent raison de ses craintes diffuses.

Elle refit sa vie en fonction d'Anne, comme jadis en fonction d'Alain, refusa toutes les gardiennes sinon, de loin en loin, les grands-mères. Elle l'entraîna avec elle au gymnase, au marché, leur traça, dès qu'Anne eut la moindre conscience de ce qui l'entourait, un programme de visites : parcs, musées, expositions, bibliothèque. La petite fille fut de tous les congrès où Aline accompagnait toujours son mari, et on la vit, les yeux ronds, dans des osterias romaines, de chics bistrots de Sydney. Sa mère l'initia très jeune au piano et au chant, au ski. Elle avait la beauté hautement colorée, enjouée et tendre d'un portrait de Renoir. Souvent, elle réclamait qu'on la maquille : rouge à lèvres, fard à joues, de la même teinte que ceux de maman. Les souliers de maman, les colliers et les bracelets de maman, un pull de maman qui lui arrivait aux chevilles. La ressemblance ainsi accusée était nette, presque agressive. On voyait sans peine la femme que serait Anne, et dans Aline la petite fille qu'elle avait été, et la jouissance trouble, à la limite de l'insoutenable, qu'elles tiraient, toutes deux, de cette ressemblance.

Quand le moment fut venu, Aline conduisit Anne à l'école, sans larmes, avec le même sourire éteint qu'elle aurait, des années plus tard, certain jour d'octobre. La petite s'adapta très vite, sa mère aussi, selon toute apparence. Elle renouvela à grands frais sa garde-robe, mettant, à assortir les tissus et les teintes, la même application un rien maniaque qui lui avait permis d'apprendre à lire à Anne avant quatre ans. Elle s'installa, apparemment sans heurt, dans sa vie de femme sans obligation : elle fit du bénévolat à l'hôpital d'Alain, joua au tennis, suivit des cours de cuisine thaïlandaise, s'intéressa au cinéma d'auteur et à l'art contemporain.

Et la petite fille grandissait, et les nouveau-nés tombaient dans les mains tendues d'Alain, et Aline était là, avec eux, une femme calme et gaie et tendre malgré la peur dissoute en elle, à la manière d'un poison dans la bonne eau claire.

* * *

À part les photos vides de sens à force d'être contemplées, elle n'a plus d'images d'Anne. Elle a appelé de tous ses vœux une petite voix curieusement rauque qui chante « Ohé, ohé, matelots », une tête claire penchée sur un casse-tête, un poids chaud et captif dans les bras. Elle ne se souvient pas de la voix, elle ne se souvient pas de la petite tête, elle ne se souvient pas du poids de l'enfant dans les bras, seulement de son souvenir de ces choses. Le souvenir du souvenir a tué le souvenir de la réalité.

Les photos aussi lui ont coupé le chemin du passé ; elle ne se rappelle plus qu'elles. Les autres images se sont figées aussi, puis estompées. Elle a perdu leurs contours, elle a perdu Anne. Maintenant elle goûte de nouveau à la couleur, et au son, et à la saveur du monde : les rêves d'Anne sont réels, eux seuls le sont. L'été pâlit, son mari pâlit, elle-même n'existe plus, sinon en ces moments fugitifs où sa fille vivante, sa Perséphone, lui est, un instant, rendue.

* * *

Le pied sur l'accélérateur comme il s'enfonce, le soir, dans le corps neuf de son amie. Avec la même jubilation, la même hâte tremblante, la même plénitude. Puis, à l'issue d'une courbe, un autobus scolaire bloque soudain la voie.

La jeune fille hurle ; il se fige un instant, incrédule, avant de freiner avec violence. L'auto dérape ; pour éviter l'autobus, il traverse la voie inverse et monte, en marche folle, mais soulagé, sur le trottoir où avance tranquillement – comme il la voit bien soudain, avec quelle clarté effrayée, impuissante, et étrangement douce – une petite fille mince en ciré jaune, qui porte, au dos, un sac en forme de coccinelle. Dans cinq jours elle aurait eu huit ans.

*   *   *

Un petit livre d'Anne racontait l'histoire d'un crocodile très âgé, à qui manquaient toutes les dents sauf une, et qui souffrait de solitude. Pas grave, avait dit Anne à la première lecture, sa maman va arriver bientôt. Impossible de concevoir alors qu'on puisse, même dans l'âge extrême, être privé un jour, qui de sa maman, qui de sa petite fille.

*   *   *

Lorsqu'on sonna à la porte, Aline préparait un coulis de tomates qui leur rappellerait, les grands froids venus, que l'été existe. Anne était en retard, elle se précipita sans enlever son tablier. Le soleil d'après-midi du grand hall d'entrée l'éblouit et elle distingua mal, un instant, les deux policiers, un homme et une femme, qui se tenaient à la porte.

La femme lui raconta, d'une voix ferme, douce, respectueuse, l'essentiel. Elle avait baissé la tête et Aline ne pouvait quitter des yeux la raie très précise, parfaitement droite, qui séparait au milieu ses cheveux noirs. Puis elle leva enfin les yeux et son regard vert plongea dans celui d'Aline. Elle est morte sur le coup. Sans avoir eu le temps de souffrir. C'est ça surtout que je suis venue vous dire.

Le soleil déjà menacé par la neige, les paniers de pommes et de poivrons, les citrouilles. Le coulis de tomates qui, dans la grande marmite de cuivre, attache et noircit. Rondeurs, récoltes, promesses tenues. La terre donne et reprend. L'abondance, et la noirceur.

Peut-être toute mort est-elle infiniment lente, même si elle ne dure qu'un éclair. Il faut si peu, si peu de temps pour souffrir. Mais le mensonge – ou la vérité – que proférait cette femme était son cadeau à Aline. Et Aline le reçut comme on recueille un matin, reconnaissante et à peine étonnée, l'enfant abandonné sur son seuil, don d'une étrangère qui n'a rien d'autre à donner.

* * *

Elle a renoncé aux somnifères qui brouillent les images nocturnes ; maintenant elle dort mieux, avec une volupté nouvelle, une sorte de faim ou de virginité. Au téléphone, Alain la sent absorbée, somnolente. Elle s'enfonce dans le sommeil : puits, bouche, baiser. Ni paresse ni fatigue ; elle cherche. Du fond des rêves, une petite fille monte vers elle et tend la main.

* * *

Le calme opaque avait cédé aux hurlements, les hurlements à une sorte d'hébétude furieuse. Enfin ce fut l'immobilité la plus parfaite. Elle cessa de sortir, puis de manger et de se laver. Le soir, Alain lui savonnait les cheveux, la nourrissait à petites cuillerées. Elle demeurait au lit tout le jour, puis s'immobilisait sur le canapé où il l'installait en rentrant pour lui changer les idées, jusqu'à ce qu'il la déplace encore à l'heure du coucher. Une plante, une momie, une statue qui pourrit sur pied. Il lui apporta des fleurs, des livres, du chocolat, un cerf-volant, un cahier et des crayons-feutres de couleurs vives, il proposa des sorties, des voyages. Rien.

Un soir mauve de presque printemps, au lieu de rentrer pour voir cette femme à la peau grise arroser de ses larmes lentes un autre repas silencieux préparé à la hâte par lui, il se rendit, à tout hasard, dans un hôtel du centre-ville. Une jeune universitaire de Washington, qui assistait à un colloque sur le droit fiscal, attendait, au bar, des collègues qui lui firent faux bond. Ses bras, son joli visage, ses jambes de sportive et, il le découvrit bientôt, tout son corps, étaient saupoudrés de taches de rousseur qui évoquaient un jeu de lumière dans la savane. Il lui prit la main, monta à sa demande dans sa chambre du vingtième étage, lui fit l'amour avec ardeur, lui dit en toute sincérité qu'il l'aimait et la quitta, très tendrement, sans demander son adresse. Dans le stationnement souterrain, il pleura toutes les larmes de son corps, la tête appuyée au volant, les bras ballants. Puis, vidé, purifié, il eut soudain très faim. Il trouva le restaurant de l'hôtel, dévora un steak saignant, puis rentra et s'endormit aux côtés d'Aline, curieusement heureux, habité par l'impression d'avoir pu, après avoir retenu son souffle jusqu'à s'étouffer, respirer, un seul coup, à fond.

*   *   *

Peu à peu, Aline se remit elle aussi à vivre. Elle congédia le jardinier et se mit à ensemencer, à engraisser, à émonder. Les mains plongées dans la terre fraîche, elle sentait une vitalité silencieuse et obstinée qui la tirait vers la lumière. Des pousses d'érable s'ancrèrent dans toutes les plates-bandes et elle les arracha une à une, non sans s'émouvoir de leur acharnement. Les fleurs comme les mauvaises herbes, les abeilles et les limaces, lui inspiraient la même compassion, la même tendresse, le même amour immense, objectif, impersonnel, que l'amour divin.

*   *   *

Elle ne sort plus, se réveille le moins possible. Lorsque Alain arrive à l'improviste, il la trouve à peine levée, qui fait mine de s'affairer. Après un certain temps elle cesse de dissimuler. Elle est couchée quand il part, couchée lorsqu'il arrive. Le lit est devenu son monde, son île.

*   *   *

À une densité particulière du silence, Alain s'effraie et se précipite. Le salon, la cuisine : rien. Il arrive, essoufflé, dans leur chambre : personne. Pourtant, l'auto d'Aline est dans le garage, il a vu ses souliers et ses clés à la porte. La salle de bains, les poignets tranchés, une rivière de sang ? Rien. Par la fenêtre il voit la piscine vide. Alors ? Le silence se fait lourd, moqueur.

Il voit enfin – comment a-t-il pu ne pas le remarquer avant ? – la porte de la chambre d'Anne, entrebâillée. Il avance maintenant à petits pas précautionneux, terrorisé, sûr déjà de ce qui l'y attend.

Elle est là, roulée en boule sur le lit. Elle dort, un sourire aux lèvres, les mains ouvertes, détendues. Les genoux d'Alain plient, un goût de métal rouillé lui brûle la gorge. Sa femme est malade, folle à enfermer.

Non. Elle a trouvé une porte qui a cédé ; lui est resté seul, dehors. Abandonné, jaloux. Mesquin.

L'aimer, la suivre. Il y a une volupté à préserver ce qu'on a, et une autre, encore plus grande peut-être, à ouvrir les mains. Qu'elle dorme, qu'elle voie, et qu'il soit emporté avec elle.

Il s'allonge aux côtés d'Aline, soucieux de ne pas la réveiller. Elle se retourne sans ouvrir les yeux, lui faisant une place dans le lit étroit de leur fille. Et avec d'infinies précautions il l'enlace, il ferme les yeux et s'abandonne au sommeil, calme soudain, ému aux larmes, certain tout à coup que cette fois, à lui aussi, la porte du rêve s'ouvrira.

NOTICE BIBLIOGRAPHIQUE

Les nouvelles suivantes sont déjà parues, le plus souvent sous une forme très différente : « Pleine lune et abricots », *XYZ*, printemps 1991 ; « La grâce de Dieu, sa main », dans *Nouvelles de Montréal*, présenté par Micheline La France, Montréal, l'Hexagone, coll. « Typo », 1992 ; « Un murmure ou un chant », *Liberté*, vol. 35, n° 3, juin 1993 ; « Pur polyester », *Nuit blanche,* n° 73, hiver 1998-1999.

« Mon père, la nuit » a remporté le premier prix du Concours de nouvelles 1994 de Radio-Canada et a été diffusé le 22 mars 1995.

Dans la même collection :

Parcours improbables de Bertrand Bergeron
Ni le lieu ni l'heure de Gilles Pellerin
Mourir comme un chat de Claude-Emmanuelle Yance
Nouvelles de la francophonie, collectif l'Atelier imaginaire
    (en coédition avec l'Âge d'Homme)
L'araignée du silence de Louis Jolicœur
Maisons pour touristes de Bertrand Bergeron
L'air libre de Jean-Paul Beaumier
La chambre à mourir de Maurice Henrie
Circuit fermé de Michel Dufour
En une ville ouverte, collectif franco-québécois
    (en coédition avec l'Atelier du Gué et l'OFQJ)
Silences de Jean Pierre Girard
Les virages d'Émir de Louis Jolicœur
Mémoires du demi-jour de Roland Bourneuf
Transits de Bertrand Bergeron
Principe d'extorsion de Gilles Pellerin
Petites lâchetés de Jean-Paul Beaumier
Autour des gares de Hugues Corriveau
La lune chauve de Jean-Pierre Cannet
    (en coédition avec l'Aube)
Passé la frontière de Michel Dufour
Le lever du corps de Jean Pelchat
Espaces à occuper de Jean Pierre Girard
Bris de guerre de Jean-Pierre Cannet et Benoist Demoriane
    (en coédition avec Dumerchez)
Je reviens avec la nuit de Gilles Pellerin
Nécessaires de Sylvaine Tremblay
Tu attends la neige, Léonard ? de Pierre Yergeau
Détails de Claudine Potvin
La déconvenue de Louise Cotnoir
Visa pour le réel de Bertrand Bergeron
Meurtres à Québec, collectif
Légendes en attente de Vincent Engel

129

Ça n'a jamais été toi de Danielle Dussault
Verre de tempête de Jane Urquhart (traduit de l'anglais par Nicole Côté)
Solistes de Hans-Jürgen Greif
Haïr ? de Jean Pierre Girard
Trotski de Matt Cohen (traduit de l'anglais par Daniel Poliquin)
L'assassiné de l'intérieur de Jean-Jacques Pelletier
Regards et dérives de Réal Ouellet
Traversées, collectif belgo-québécois (en coédition avec les Éperonniers)
Revers de Marie-Pascale Huglo
La rose de l'Érèbe de Steven Heighton (traduit de l'anglais par Christine
    Klein-Lataud)
Déclarations, collectif belgo-québécois (en coédition avec les Éperonniers)
Dis-moi quelque chose de Jean-Paul Beaumier
Circonstances particulières, collectif
La guerre est quotidienne de Vincent Engel (en coédition avec Quorum)
Toute la vie de Claire Martin
Le ramasseur de souffle de Hugues Corriveau
Du virtuel à la romance de Pierre Yergeau

ACHEVÉ D'IMPRIMER
EN AVRIL 1999
SUR LES PRESSES DE AGMV-MARQUIS
MONTMAGNY, CANADA